Community
Manager

TÍTULOS ESPECIALES

RESPONSABLE EDITORIAL:
Víctor Manuel Ruiz Calderón
Eva Margarita García

DISEÑO DE CUBIERTA:
Cecilia Poza Melero

Community Manager

Óscar Rodríguez Fernández

Gurús Press

Todos los nombres propios de programas, sistemas operativos, equipos hardware, etc. que aparecen en este libro son marcas registradas de sus respectivas compañías u organizaciones.

© EDICIONES ANAYA MULTIMEDIA (GRUPO ANAYA, S.A.), 2011
   Juan Ignacio Luca de Tena, 15. 28027 Madrid
   Depósito legal: M. 15.855-2011
   ISBN: 978-84-415-2936-6
   Printed in Spain
   Impreso en: Fernández Ciudad, S. L.

A mi vida y mi amor, Érika.
A mi alma y mi sueño, Samuel.
A mi guía y mi protección, Pedro y Adela.

"No importa aquél que muestra las falencias del hombre fuerte,
o en qué ocasiones aquél que hizo algo podría haberlo hecho mejor.
El reconocimiento pertenece al hombre que se encuentra en el campo
de batalla, con el rostro manchado de polvo, sudor y sangre;
aquél que persevera con valentía; aquél que erra, que da un traspié
tras otro, ya que no hay ningún esfuerzo sin tropiezo ni caída.
Aquél que realmente se empeña en lograr su cometido;
quien conoce el entusiasmo, la devoción; aquél que se entrega
a una noble causa; quién en el mejor de los casos encuentra
al final el triunfo inherente al logro grandioso; y que en el peor
de los casos, si fracasa, al menos caerá con la frente bien en alto,
de manera que su lugar jamás estará entre aquellas almas que,
frías y tímidas, no conocen ni victoria ni fracaso."

—Theodore Roosevelt.

AGRADECIMIENTOS

A la comunidad más increíble que he conocido nunca, la Sección de Acción Deportiva de Espartales Sur de Alcalá de Henares... nunca hubiera imaginado que iba a aprender tanto de todos ellos.

A Juan José Manzanares, por ser el gran "Social Media Manager".

A la familia Martínez Rodas, por su "hosting" infantil.

Al equipo Senior de Fútbol Sala de Espartales, por defender su "identidad" con sangre cada sábado.

A Carlos Figueiras, por su "conversación" diaria.

A los Atypical, os quiero a los cinco, por su paciencia infinita en la "gestión de la crisis".

A Víctor M. Ruiz, por no mandarme a tomar por el "SEO".

Índice de contenidos

CAPÍTULO 2. Tú el profesional, tú el Community Manager　71

CAPÍTULO 5.   **Tomar el control y evaluar los resultados obtenidos**   **251**

CAPÍTULO 6.   **Poner en práctica los conocimientos**   **291**

CAPÍTULO 7. Disponer de un contenido adecuado y legal   309

Índice alfabético   327

Introducción

Este libro nace con una única intención: convertirse en una guía de rescate para aclarar la gran cantidad de dudas que existen hoy en día con respecto a una nueva labor profesional que ha venido a denominarse Community Manager.

Movidos por nuestras propias necesidades, hemos detectado un vacío existente de información sobre cuáles son las características fundamentales que debe tener un Community Manager y qué conceptos debe dominar para alcanzar cierto éxito. Nuestro objetivo es establecer los detalles de una actividad y, en muchos casos ya una profesión, que aún está por definirse. Estas páginas se han escrito con la intención de enfocar y orientar a todo profesional que, de un modo u otro, quiera también ampliar sus conocimientos para dominar el mundo de la gestión de comunidades sociales.

En un momento como éste, cuando aún se están fijando los cimientos de lo que serán los verdaderos Social Media, nos ha parecido que puede ser muy útil que exista una definición abierta de cuáles son los conceptos más importantes a tener en cuenta con respecto al mundo de las Redes Sociales y a la que es la labor más importante para su control y desarrollo. Un tema de total actualidad y de gran relevancia para el mundo de la empresa, pero sobre el que aún hay muchas dudas y muchas imprecisiones.

Por eso con este libro vamos a intentar cubrir ese pequeño hueco existente y, sobre todo, facilitar información de referencia muy necesaria para cualquier profesional que quiera conocer las claves de una labor, de una nueva responsabilidad, de una nueva profesión, de un nuevo concepto... el Community Manager, el Gestor de Comunidades.

CONTENIDO DEL LIBRO

El contenido del libro se ha dividido en siete capítulos, que se podrían explicar del siguiente modo:

- **Capítulo 1:** En este capítulo se aborda el nuevo escenario en el que se mueve el mundo del marketing en Internet y de la evolución que ha llevado a cabo. La marca, el consumidor y en definitiva la nueva figura del Community Manager completan este mundo de los Social Media. Se explican las nuevas reglas de los Social Media, escuchar, participar, asumir, ayudar y adaptar.

- **Capítulo 2:** En la actualidad el Community Manager comienza a tener una importancia muy relevante en el mundo de Internet y la Web 2.0. Conocer qué es un Community Manager, qué no es, y cuáles son sus principales tareas, es parte de toda la información recopilada en este capítulo.

  Además se abordan temas como sus habilidades y sus aptitudes. El día a día de un Community Manager, sus responsabilidades, la optimización y la organización del tiempo son otros de los apartados comentados en el capítulo.

- **Capítulo 3:** La principal decisión, Cómo abordar un proyecto Social Media, se explica y referencia en este capítulo. Cuáles son los principales modelos de negocio, la importancia de la investigación del mercado. Una buena planificación del Social Media Plan, cómo poner en marcha la comunidad, la creación de perfiles, la segmentación y los análisis de las diferentes estrategias sociales.

  La monitorización del contenido y la comunicación con el usuario son otros de los puntos clave en este apartado. También se expone cómo gestionar la reputación online y cómo afecta la rumorología social.

- **Capítulo 4:** Un gran número de herramientas de trabajo y plataformas son imprescindibles para triunfar con un Social Media Plan. La funcionalidad de cada una de las plataformas. Facebook y sus herramientas, las Community Page, Fan Page,... De Twitter se explican sus herramientas, la promoción de sus tweets, hashtags, etc. Se da un repaso a Youtube, a Flickr yLinkedin. Información de las herramientas para crear un *Blog*, su filosofía, el *link baiting* y un montón de términos que rodean a esta nueva revolución social.

- **Capítulo 5:** Tomar el control y evaluar los resultados obtenidos. La importancia del posicionamiento de un sitio Web en Google. Las diferentes herramientas para lograr averiguar el Posicionamiento Social

Estratégico, SEO y SMO. Se abarca toda la información relativa a la analítica Web; las mediciones de resultados cualitativos y cuantitativos, monitorización de estos y se muestran diversas herramientas que permiten realizar todas estas labores.

El ROI la métrica más importante a la hora de analizar una campaña Social Media, es explicada con detalle en este capítulo.

▶ **Capítulo 6**: Dentro de la revolución que los Social Media están afrontando hay numerosos casos de éxito que se ven reflejados en este capítulo del libro. Algunos de ellos son la respuesta de lo que los Social Media vienen a representar en este mundo que avanza tan vertiginosamente.

▶ **Capítulo 7**: No se puede dejar de lado el tema de la legalidad. Internet donde todo parece moverse sin ley está creando unas pautas tanto de comportamiento social como de derechos y licencias.

En este apartado se explica lo relacionado con la propiedad intelectual en Internet. Los derechos de Copyright y Copyleft, las diferentes licencias Creative Commons.

A QUIÉN VA DIRIGIDO ESTE LIBRO

Dentro del abanico de lectores interesados, este libro puede ayudar a personas que deseen orientar su carrera profesional hacia el sector de los Social Media, a profesionales liberales que apuestan por las herramientas de comunicación entre personas, a gestores a cargo de departamentos de tecnología con una apuesta clara por establecerse en los Social Media y a cualquiera que se sienta interesado por la radical aparición de la Web 2.0 y su influencia en la sociedad a corto plazo y medio plazo.

▶ Si eres dueño de un negocio, de una pequeña compañía o gestionas un negocio o marca, este libro es para ti.

▶ Si quieres conocer bajo qué estrategias y conceptos se está moviendo actualmente el marketing social, este libro es para ti.

▶ Si llevas años trabajando en nuevas tecnologías, conoces Internet y quieres desarrollar tu carrera profesional, este libro es para ti.

▶ Si estudias o trabajas en algo que tiene relación con el mundo del marketing, este libro es para ti.

▶ Si eres autodidacta y buscas una profesión con futuro inmediato, este libro es para ti.

CONVENCIONES

Para ayudarle a sacar el mayor partido al texto y saber dónde se encuentra en cada momento, a lo largo del libro utilizamos distintas convenciones:

▶ Las combinaciones de teclas se muestran en negrita, como por ejemplo **Control-A**. Los botones de las distintas aplicaciones también se muestran en **negrita**.

▶ Los nombres de archivo, URL y código incluido en texto se muestran en un tipo de letra `monoespacial`.

▶ Los menús, submenús, opciones, cuadros de diálogo y demás elementos de la interfaz de las aplicaciones se muestran en un tipo de letra Arial.

En estos cuadros se incluye información importante directamente relacionada con el texto adjunto. Los trucos, sugerencias y comentarios afines relacionados con el tema analizado se reproducen en este formato.

1. Un nuevo escenario. La marca, el consumidor y... el Community Manager

EVOLUCIÓN DE LOS SOCIAL MEDIA

A día de hoy no parece lógico que alguien con cierta experiencia en Internet y nuevas tecnologías se autodefina como una autoridad en el mundo de los Social Media. Aunque haberlos, haylos. La velocidad con la que se producen acontecimientos y, sobre todo, la inmadurez de un mercado en constante evolución hace que todos vayamos a remolque de los sucesos del día a día.

¿Cómo va a influir en el Social Media español de los próximos años la compra del 85 por cien de Tuenti, a razón de 70 millones de euros, por Telefónica? Quien lo sabe. Hace poco más de cuatro años Tuenti aún no existía y desde hace meses el nombre comercial Telefónica ha desaparecido en favor de la marca.

¿Cómo va a influir en el Social Media español de los próximos años la compra del 85 por cien de Tuenti, a razón de 70 millones de euros, por Telefónica?

Movistar con el reto de intentar conseguir, entre otros, un mejor posicionamiento en los Social Media.

Esto no es más que un ejemplo de la velocidad a la que puede cambiar un mercado en constante evolución.

Tal vez parezca difícil de creer pero, según coinciden muchos de los más importantes expertos, el mundo del marketing ha soportado una transformación mucho más radical en estos últimos cinco años que en los anteriores cien, y en eso tienen mucho que ver Internet y los Social Media. La rapidez a la que se están situando los jugadores, no facilita imaginar qué va a ocurrir a seis meses vista. En resumen, estamos ante una realidad que cambia día a día, segundo a segundo. Hoy el uso de los Social Media por parte de compañías y marcas comienza a ser un hecho. Unas han conseguido situarse como las más vanguardistas, otras se mueven sin problemas con estrategias bien aplicadas y la mayoría tratando de entender cómo hacerlo de un modo adecuado.

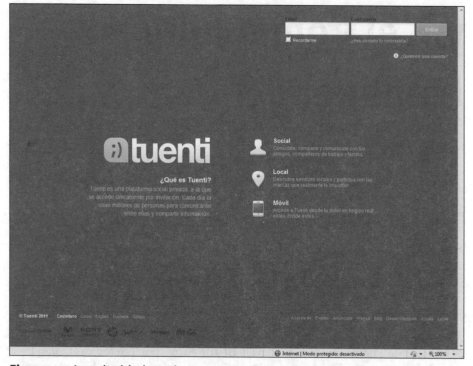

Figura 1.1. La velocidad con la que se producen acontecimientos y, sobre todo, la inmadurez de un mercado en constante evolución hace que todos vayamos a remolque de los sucesos del día a día.

Tal vez parezca difícil de creer, pero el mundo del marketing ha soportado una transformación mucho más radical en estos últimos cinco años que en los anteriores cien y en eso tienen mucho que ver Internet y los Social Media.

Este salto hacia delante en la forma en que las marcas y productos comunican su actualidad ha cambiado también la forma en que los consumidores recibimos la información e interactuamos con los productos que nos gustan. Si echamos un vistazo a nuestro alrededor nos daremos cuenta de que los procesos de comunicación de nuestro día a día han cambiado drásticamente. Nuestra vida diaria se encuentra cada vez más unida a nuestro portátil, varios teléfonos y posiblemente un Netbook o iPad, todos ellos en constante conexión a Internet, y por lo tanto más conectada con el resto del mundo.

Figura 1.2. Nuestra vida diaria se encuentra cada vez más unida a nuestro portátil, varios teléfonos y posiblemente un Netbook o iPad, todos ellos en constante conexión a Internet.

Los Social Media no son un concepto novedoso, todo lo contrario, son una evolución más en la ancestral necesidad del hombre de comunicarse. Lo que sí es reciente es el afán de convertirse en cada vez más productivo, por lo que los Social Media pueden ser un paso más para satisfacer las necesidades de comunicación, intercambio e interacción social.

Por esto es preciso que no seamos tan escépticos y aceptemos lo que ya es una realidad reconocida: los Social Media han transformado y lo van a hacer aún más, no sólo la forma en que nos comunicamos, sino también el modo en que vamos a relacionarnos, trabajar y compartir a partir de ahora. Y no es una cuestión de unos pocos, todos, todos y cada uno de los humanos estamos influenciados por esta realidad. Queramos o no queramos.

CARACTERÍSTICAS Y CONSECUENCIAS DE LOS SOCIAL MEDIA

Aunque parezca difícil aún existen empresas y sectores profesionales, con sus correspondientes marcas detrás, que permanecen inmóviles ante la gran transformación que se está produciendo en los modos de actuación de clientes y usuarios. Por un lado por desconocimiento y por otro por el miedo al cambio en sus modelos de negocio, prefieren dar la espalda al fenómeno de éxito de los Social Media.

Figura 1.3. En poco tiempo el cliente de "toda la vida" (el típico lector de periódico, revista o semanario) se ha convertido en un nuevo consumidor con necesidades muy distintas.

Un ejemplo claro lo protagonizan los medios de comunicación tradicionales, capaces de caer una y otra vez en el mismo error y sumidos por ello desde hace algún tiempo en una profunda crisis. Desde los comienzos de Internet los grandes protagonistas de este sector sólo han creído en la Red como un medio de difusión y publicación de contenidos en una única dirección. Grave error. En poco tiempo su cliente de "toda la vida" (el típico lector de periódico, revista o semanario) se ha convertido en un nuevo consumidor con necesidades muy distintas. El usuario actual se ha dado cuenta de que en los medios convencionales no encuentra ni el contenido que le interesa ni como le interesa. Básicamente, el lector de un medio tradicional se encuentra con contenido cerrado, sin posibilidad de ser filtrado, que busca dirigir su opinión, con publicidad encubierta y en la mayoría de los casos con información sesgada.

Por si esto fuera poco, no es posible encontrar la personalización ni del contenido ni de la experiencia de uso. Básicamente, estas son algunas de las características que diferencian el contenido de un Social Media con respecto al de un medio convencional de comunicación.

- ▶ **Velocidad**. En un medio convencional el tiempo que transcurre entre la producción del contenido y su consumo por parte de la audiencia puede ser muy largo (días e incluso semanas) mientras que un medio social puede ofrecer contenido prácticamente en tiempo real.

- ▶ **Coste**. El medio convencional habitualmente es propietario y de pago mientras que en un medio social el contenido se comparte de manera gratuita.

- ▶ **Producción**. Para la creación de contenido en un medio convencional se requieren recursos y conocimientos especializados mientras que en un medio social se comparten y reinventan habilidades de modo que cualquiera puede ser productor de contenido.

- ▶ **Versatilidad**. En un medio convencional una vez creado el contenido y producido éste no puede ser modificado mientras que un medio social permite que el propio autor o el usuario puedan mejorarlo y corregirlo.

El cambio de necesidades de comunicación ha llegado también a otros sectores, no se trata sólo de un contratiempo para los medios de comunicación. Las mismas dificultades de adaptación a las nuevas necesidades del cliente las están teniendo industrias tan importantes como el cine o la música e incluso también sectores de gran influencia como la publicidad o la política. A nadie escapa el problema.

¿Dónde está la clave para que esté ocurriendo este cambio tan importante en las necesidades del usuario? La clave está en la palabra "crisis". Crisis económica mundial, crisis del contenido convencional, crisis de creatividad, crisis de liderazgo, crisis de valores, es decir, crisis en los establecimientos tradicionales de hacer la cosas.

Los medios sociales no son una moda, son un cambio fundamental en la forma en que nos vamos a comunicar a partir de ahora. Un dato, el 78 % de los consumidores confía en las recomendaciones mientras que sólo el 14% confía en la publicidad gráfica.

Y ya no hay vuelta atrás. Con todos los datos en la mano Internet sigue evolucionando sin freno. Unidos a Internet, los Social Media se han establecido de un modo muy rápido y definitivo, con la seguridad de que no se trata de una moda pasajera sino de un concepto que tiene aún que asentarse, establecerse y evolucionar.

Figura 1.4. El 78 % de los consumidores confía en las recomendaciones mientras que sólo el 14% confía en la publicidad gráfica.

Algo ha cambiado y su tendencia es clara. En un futuro cercano van a triunfar las empresas, sectores y marcas que sepan adaptarse a la llegada de los Social Media y, además de desarrollar su modelo de negocio habitual, convertirse en plataformas para la conversación y la construcción de contenidos en colaboración.

Por lo tanto el juego ha cambiado y hay unas nuevas reglas.

Estos cinco puntos podrían ser un resumen muy básico de en qué consisten las nuevas reglas de los Social Media:

1. **Escuchar.**

   Leer lo que se dice de tu marca, de tu empresa y de ti y, sobre todo, tenerlo muy en cuenta.

2. **Participar.**

   Crear una estrategia para responder a lo que se dice de modo que se pueda formar parte de la conversación.

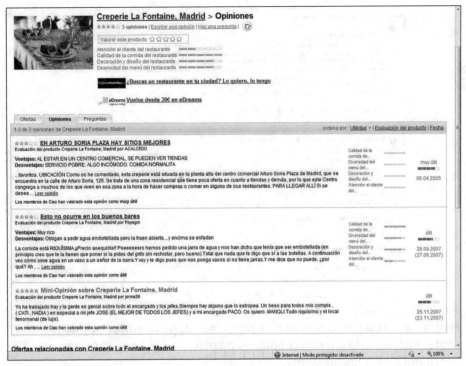

Figura 1.5. Entender las críticas como parte del proceso de aprendizaje de la empresa. Adiós a la autocomplacencia.

3. **Asumir.**

    Entender las críticas como parte del proceso de aprendizaje de la empresa. Adiós a la autocomplacencia.

4. **Ayudar.**

    Los Social Media son una buena herramienta para conocer las virtudes y los defectos de tu marca, por lo tanto intenta ayudar a los que quieren hablar de ti.

5. **Adaptar.**

    Adecuar tu empresa a las nuevas reglas es casi obligatorio, si no será difícil alcanzar los objetivos.

Estos cimientos básicos no son ni más ni menos que las bases de lo que podríamos denominar Empresa 2.0. Sin duda las tendencias a corto plazo pasan por el imparable impacto de la economía digital en todas las organizaciones y en especial en los departamentos de Marketing y Recursos Humanos.

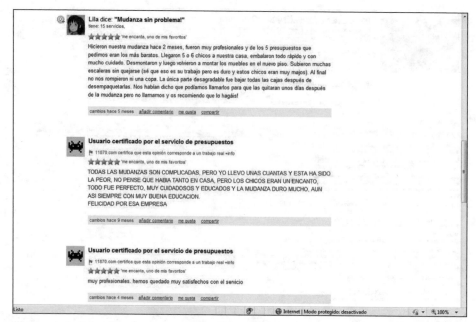

Figura 1.6. Escuchar lo que se dice de tu marca, de tu empresa y de ti y, sobre todo, tenerlo muy en cuenta, es básico para una convivencia adecuada en los Social Media.

EL FUTURO INMEDIATO, LA WEB 3.0

A veces resulta muy difícil mantenerse al día activamente en la constante batalla del sector tecnológico. Cuando todavía la implantación global de las redes sociales, fundamentalmente la Web 2.0, no ha hecho más que dar sus primeros pasos, ya se han establecido parámetros muy detallados de lo que será el futuro más cercano. Durante 2010 asistimos a la auténtica explosión de la Web 2.0, siendo un concepto que veníamos arrastrando desde el año 2003. Pues bien, el término Web 3.0 apareció por primera vez en 2006 en un artículo de Jeffrey Zeldman, muy crítico con la Web 2.0.

Bases históricas de la evolución de la Web:

▶ Web 1.0 - Personas conectándose a la Web (Páginas Web).

▶ Web 2.0 - Personas conectándose a personas (Redes sociales).

▶ Web 3.0 - ¿Aplicaciones Web conectándose a aplicaciones Web? (Web Semántica).

Desde esa fecha, en los últimos años hemos conseguido adaptarnos a nuevos mecanismos de relación y comunicación utilizando las redes sociales, a la mejora del tratamiento del contenido en las páginas Web y, de manera muy importante, a manejar estándares Internet a modo de servicios distribuidos fuera de la red sin que nos demos cuenta de estar fuera de ella. Pues bien ya están aquí las bases de lo que se ha venido a denominar Web 3.0, la Web social semántica en tiempo real, la Web con significado.

El concepto Web 3.0 surgió en el año 2006 en un artículo escrito por Jeffrey Zeldman, un gurú del diseño Web bautizado como el "rey de los estándares Web" y muy crítico con la Web 2.0.

Demasiados conceptos complicados unidos en un término. ¿Qué nos va a aportar de nuevo entonces? Básicamente el concepto de Web 3.0 se basa en la evolución de las redes sociales bajos los siguientes conceptos:

▶ Contenidos semánticos.

▶ Búsquedas de lenguaje natural.

▶ Contenidos accesibles sin navegación.

▶ Tecnologías de inteligencia artificial.

▶ Geolocalización.

▶ Web 3D.

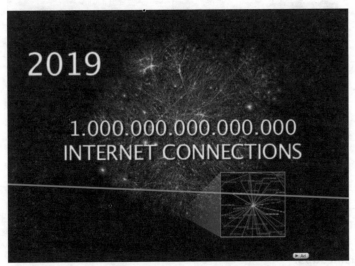

Figura 1.7. El futuro ya está aquí, y los Social Media van a formar parte de él.

Contenidos semánticos

Se acometerá un proceso para conseguir un perfeccionamiento real de las búsquedas por Internet, en cubrir la necesidad de que una búsqueda termine siendo un proceso más usable y más humano.

Conseguir que un buscador nos ofrezca una respuesta única y exacta a lo que le demandamos, es a la vez un gran avance y una gran dificultad. Hoy ya se trabaja con técnicas de inteligencia artificial que están dando grandes resultados, aplicaciones que consiguen "razonar" basando sus respuestas en reglas que expresen relaciones lógicas entre conceptos y datos ubicados en Internet.

La tecnología basada en lenguaje natural permitirá mejorar la comunicación con Internet de modo que revolucionará la relación de usuario a usuario y de empresa a cliente.

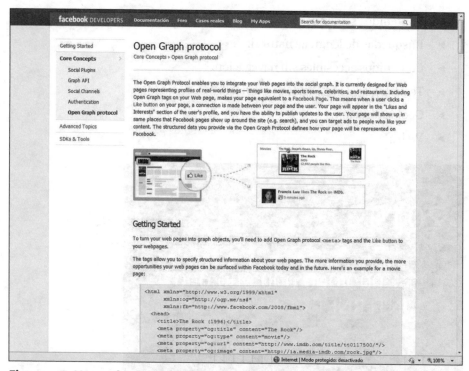

Figura 1.8. Ya se ofrecen herramientas adecuadas para que cualquier desarrollador transforme el contenido de sus páginas en objetos sociales categorizados y clasificados.

Por ejemplo, Facebook con su *Open Graph Protocol* ofrece las herramientas necesarias para que cualquier desarrollador transforme el contenido de sus páginas en objetos sociales categorizados y clasificados, según indican los protocolos de la Web semántica. Es decir, hoy ya se puede relacionar cualquier sitio en Internet con Facebook, e identificar y contextualizar semántica y socialmente su contenido.

Este avance puede suponer un cambio radical en los hábitos de utilización de Internet por parte del usuario, sobre todo en lo que respecta a su comportamiento en la navegación y, sobre todo, en sus hábitos consumo.

Figura 1.9. Aunque en fases beta, hoy ya se trabaja con aplicaciones que consiguen "razonar" basando sus respuestas en reglas que expresen relaciones lógicas entre conceptos y datos ubicados en Internet.

Un ejemplo básico de Web semántica podría ser la de una agencia de viajes que permitiera que se formularan consultas basadas en lenguaje natural como "me gustaría pasar siete días de vacaciones en un hotel de montaña con mi mujer, mi suegra y mis hijos de 7 y 5 años, en un lugar cálido y con un presupuesto máximo de 3.500 euros". El sistema devolvería un paquete de vacaciones detallado, parecido al que ofrece una agencia tradicional, pero sin la necesidad de que el usuario pase horas y horas localizando ofertas en Internet.

Búsquedas de lenguaje natural

A día de hoy se trabaja en la posibilidad construir sobre la Web una base de conocimiento con las preferencias de los usuarios. De este modo, a través de una combinación entre su capacidad de conocimiento y la información guardada, sería posible atender la demanda de información de un modo tan exacto y detallado que las actuales búsquedas nos parecerían broma.

Figura 1.10. Ya se está trabajando en buscadores que permitan formulaciones de consultas basadas en lenguaje natural.

En la actualidad el uso de las técnicas de etiquetado (*taggin*) se ha convertido en una forma habitual de clasificar la información. El proceso consiste en que es el propio usuario el que clasifica el contenido mediante palabras clave que posteriormente le van a permitir encontrarlo de un modo más sencillo.

Es decir, podemos utilizar el *tag* "flamenco" para diferenciar un archivo musical de otro. Utilizando este método los actuales buscadores son capaces de identificar contenido que de otro modo hubiera sido muy complicado encontrar y, mejorando las posibilidades, se convierte en una fórmula de clasificación que un futuro muy cercano generará opciones de resultados muy relevantes.

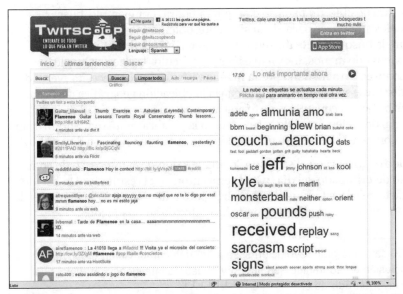

Figura 1.11. Los tags o etiquetas forman parte de nuestra vida online desde hace algún tiempo. Empieza a ser el modo habitual de clasificar la información.

Figura 1.12. Con la simple introducción de una etiqueta los sistemas permiten encontrar los registros de una manera mucho más sencilla. Son las denominadas técnicas de etiquetado (taggin).

Cuando esto sea posible, un usuario cualquiera podrá, por ejemplo, buscar todos los vuelos a Londres para el día siguiente, obteniendo unos resultados exactos sobre la búsqueda. Realizando esta misma búsqueda actualmente el resultado es, cuando menos, inexacto e incluso ridículo. Teclee en Google "Vuelos a Londres para mañana por la mañana". No es lo que necesita ¿verdad? Si el buscador fuese semántico éste detectaría la ubicación geográfica desde la que el usuario hace su consulta y, de forma automática sin necesidad de indicar el punto de partida, elementos de la frase como la palabra "mañana" adquirirían significado, convirtiéndose en un día concreto calculado en función de un "hoy".

Algo parecido ocurriría con el segundo "mañana", que sería interpretado como un momento determinado del día. ¿Cuál sería entonces el resultado? Un listado rápido y exacto de todos los vuelos a Londres para mañana por la mañana desde el aeropuerto más cercano al lugar donde ha realizado su búsqueda.

La Web 3.0 será una gran revolución si se logra una combinación efectiva entre la inclusión de contenido semántico y el uso de inteligencia artificial que saque el mayor partido de él.

Contenidos accesibles sin navegación

Cada día que pasa el concepto de navegación tiende a desaparecer. Curiosamente pasamos más tiempo cada día en Internet pero sin embargo navegamos cada vez menos. Nuestro proceso ha cambiado, hablamos con Internet e Internet está a nuestro servicio. La tendencia es que cada vez más podamos acceder a toda clase de servicios desde cualquier dispositivo, desde cualquier lugar y a cualquier hora, de una forma inmediata y satisfactoria.

Imaginemos una compañía que ofrece un servicio de atención al cliente basado en los Social Media que pueda entender nuestras consultas en nuestro propio idioma y que pueda actuar de una manera lógica a nuestra petición. Es decir, un *call center* virtual, sin participación humana. Eso es la Web 3.0. Véase la figura 1.13.

Tecnologías de inteligencia artificial

Lo más novedoso se puede dar en la combinación de las técnicas de inteligencia artificial con el acceso a la capacidad humana de realizar tareas extremadamente complejas para un ordenador y de esa forma rellenar los huecos que impiden progresar a esta disciplina.

Figura 1.13. Comienzan a aparecer los primeros servicios de atención al cliente basados en Social Media. Twitter puede ofrecer muchas novedades en ese campo en los próximos años.

Los más escépticos lo ven como un proceso inalcanzable. Sin embargo hoy en día se trabaja con bastante éxito en la extracción no trivial de la información que reside de manera implícita en los contenidos, algo muy parecido a lo que se lleva denominando desde hace tiempo *Data Mining*.

> Hay quien opina que el grado de complejidad de la Web 3.0 nunca será alcanzado. Básicamente defienden esta postura argumentando que los actuales propietarios de la información no querrán compartirla y que fenómenos como el "*spam* semántico" la harán inviable.

Si compañías como Google o Microsoft pueden cribar, sondear y seleccionar los datos para sacar información oculta en ellos ¿está tan lejos la implantación de su uso en nuevas tecnologías? Teniendo en cuenta que las bases del *Data Mining* se encuentran en la inteligencia artificial y en el análisis estadístico, es fácil pensar que los modelos extraídos utilizando técnicas de este tipo servirán para encontrar la solución a dinámicas de predicción, clasificación y segmentación de contenidos. Es decir, la clave.

Por esto no es raro augurar a los expertos que, más pronto que tarde, se podrán hacer predicciones exactas, por ejemplo, sobre canciones que serán un éxito, tomando como base única el contenido "filtrado" de los sitios en Internet de las universidades.

Geolocalización avanzada

Cuando hablamos de la integración de Internet y los datos geográficos, hablamos de geolocalización o, como le gusta llamarle a algunos, de la Web Geoespacial. La geolocalización es el modo más real de mostrar y situar elementos y personas. Básicamente se trata de una tecnología capaz de localizar y ubicar, por ejemplo, la posición de un campo de fútbol o el lugar exacto donde se encuentra una persona en un hospital. Esta capacidad de poder registrar la posición de las cosas ha conllevado que la relación entre lo digital y el espacio físico sea cada vez más determinante para la evolución de algunos de los aspectos más importantes de la Web. El hecho de que hoy día cualquier teléfono móvil incorpore de serie, de manera económica, un dispositivo GPS, hace que la geolocalización se haya convertido en un concepto puntero en la próxima evolución de Internet.

Figura 1.14. El hecho de que hoy día cualquier teléfono móvil incorpore de serie, de manera económica, un dispositivo GPS, hace que la geolocalización se haya convertido en un concepto puntero en la próxima evolución de Internet.

Los primeros pasos ya se están dando. Las primeras plataformas sociales de geoposicionamiento ya funcionan, y muy bien por cierto. Servicios como Foursquare permiten al usuario que dispone de un dispositivo con GPS registrar su posición en tiempo real en cualquier tipo de lugar (restaurante, bar, hotel, negocio...) para que su red de amigos pueda saber dónde se encuentra e incluso ofrecer su opinión sobre sus características (caro, bonito, abarrotado...).

Figura 1.15. Servicios como Foursquare permiten al usuario que dispone de un dispositivo con GPS registrar su posición en tiempo real en cualquier tipo de lugar (restaurante, bar, hotel, negocio...).

La geolocalización es el modo más real de mostrar y situar elementos y personas.

Esto no es más que el comienzo de una serie de servicios que comenzará con el geomarketing y que nadie sabe hasta donde llegarán. Lo que sí es seguro es que se trata de una tecnología a la que hay que prestar mucha atención ya que cada día se hace más popular y son muchos los millones de usuarios que ya la utilizan. Un dato, en 2009 había 200.000 usuarios de Foursquare, en 2010 lo utilizaron más de 5 millones de personas.

Justo en el momento de escribir estas líneas acaba de ver la luz Facebook Lugares (Places) (`Facebook.com/places/`).

El sistema, muy similar en el enfoque a Foursquare (`Foursquare.com`) pero con un modelo de negocio mucho más agresivo comercialmente, se ha unido a la plataforma Facebook Ofertas (Deals) (`Facebook.com/deals/`) para dar un paso más allá y ofrecer al usuario regalos, promociones y descuentos de sus marcas favoritas con tan solo registrar su visita. Y las marcas se han apuntado rápidamente al carro.

Figura 1.16. Ofrecer al usuario regalos, promociones y descuentos de sus marcas favoritas con tan sólo registrar su visita, va a ser una constante de la geolocalización.

Por ejemplo, Starbucks (`Starbucks.es`) ofrece café gratis al que se registre en un lugar cercano a alguno de sus locales y H&M aplica un descuento del 20 por cien sobre el ticket de compra para todo aquel que haga un check-in en una de sus tiendas. ¿Quién duda de las posibilidades de esta tecnología?

Web 3D

Presumiblemente, del mismo modo que se apunta en el mundo convencional, el camino de la Web 3.0 es la dirección hacia la visualización en 3D, hacia una extensión del mundo real hacia un mundo virtual. A día de hoy ya existen estándares liderados por el Web 3D Consortium (web3d.org), lo que hace indicar que las primeras tentativas del concepto propuesto hace algunos años por Second Life (secondlife.com) o There (there.com) tendrán en el futuro una aplicación realmente práctica.

Figura 1.17. El camino de la Web 3.0 es la dirección hacia la visualización en 3D, hacia una extensión del mundo real hacia un mundo virtual.

Fundamentalmente se implementarán espacios que fomenten la comunicación de los usuarios, seguramente a través de una gran alternativa al mundo real, donde, por ejemplo, se podrá recorrer el planeta a través de ella, sin abandonar el escritorio. Básicamente podría llegar a ser algo muy cercano a un Google Earth (earth.google.com) que podremos recorrer y sobre el que podremos interactuar. Una tecnología gracias a la cual las diferencias entre el universo virtual y el universo real en 3D tenderán a desaparecer. Basta con recordar las imágenes de La Ciudad Prohibida de Beijing desarrolladas por IBM en Second

Life, los cimientos de lo que será la Web 3D... pero teniendo en cuenta que su tiempo de producción se alargó a 3 años de trabajo y su coste sobrepasó los 2 millones de euros.

NUEVOS CONCEPTOS DE SOCIAL MEDIA

Avinash Kaushik, evangelizador contumaz de la herramienta Analytics, sentenció la que para mí es una de las mejores y más divertidas definiciones sobre lo que son los Social Media. Dijo: "los Social Media son como el sexo en la adolescencia, todo el mundo quiere hacerlo, nadie sabe cómo y cuando por fin lo hace, se sorprende de que no sea para tanto"

Figura 1.18. "Los Social Media son como el sexo en la adolescencia, todo el mundo quiere hacerlo, nadie sabe cómo y cuando por fin lo hace, se sorprende de que no sea para tanto" Avinash Kaushik.

Si bien es indudable que aún estamos poniendo los cimientos de lo que será el futuro de los Social Media, sí es verdad que ya se han dado pasos importantes, ya lo hemos hecho. Según datos de un estudio de Forrester, en 2008 tres de cada cuatro americanos ya usaban tecnología social. De esto hace ya algún tiempo, lo que nos hace pensar que como dijo Avinash Kaushik ya lo hemos hecho y tampoco es para tanto.

El camino avanzado demuestra que estamos en el momento clave de pensar en nuevos conceptos y de evolucionar. Cualquier Consultor Social o Community Manager que se precie debe dejar de lado los escepticismos y trabajar con los pies en el presente pero con la cabeza en el futuro. Los datos corroboran la apuesta por los Social Media de los principales actores.

Según datos publicados por eMarketer, casi el 11 por cien del total de la inversión en marketing online de Estados Unidos para 2011 estaba dirigido a los Social Media, y para el año 2012 la previsión aseguraba que se iba a superar el 12 por cien. Según los analistas, la visibilidad en los Social Media se ha convertido cada vez más en una parte más importante del plan de comunicación de las grandes compañías.

Por esto es necesario conocer tanto los números del futuro como las tendencias. A día de hoy son muchos los nuevos conceptos asociados a los Social Media que ya se dejan percibir. Éstos son algunos de los que marcarán la dirección del futuro más cercano.

Cualquier Community Manager que se precie debe dejar de lado los escepticismos y trabajar con los pies en el presente pero con la cabeza en el futuro.

Experiencia social

Como se dice habitualmente "escoba nueva siempre barre bien", lo cual sirve para demostrar que el éxito momentáneo de los Social Media debe dejar de ser eso, un éxito pasajero, para intentar establecerse como la manera natural de interacción entre las marcas y sus usuarios. Si todo coincide con lo que pronostican los expertos, el entorno social se centrará en la experiencia del usuario y se convertirá en una ventaja competitiva difícil de rechazar.

Sitios corporativos sociales

Ya está ocurriendo, muchas de las páginas creadas en Facebook resultan ser más importantes para sus empresas que la propia página corporativa. Disponen de más visitas y resultan más accesibles para los usuarios. Incluso se plantea que haya compañías que únicamente tendrán visibilidad en Facebook, dejando de lado la Web. Esto permite a las marcas disponer de un escaparate social de sus productos, un flujo constante de ofertas en tiempo real, de un modo más sencillo y versátil. Véase la figura 1.19.

Movilidad social

Nadie duda ya de que los Social Media se están desarrollando bajo la sombra de iPhones y Blackberrys, entre otros. A esto hay que unir las enormes posibilidades que ofrece para las empresas y marcas la creación de aplicaciones específicas para los dispositivos y el enorme éxito que tienen entre los usuarios.

Figura 1.19. Muchas de las páginas creadas en Facebook resultan ser más importantes para sus empresas que la propia página corporativa en Internet.

Para muestra un dato, sólo la App Store de Apple (`Store.apple.com/es`) supera los 15 millones de descargas de Apps al día. Muchas compañías no dudan en crear aplicaciones específicas para sus negocios. Bajo coste de implementación y alta audiencia, el éxito para muchos está asegurado. Véase la figura 1.20.

Lugares y Ofertas

Las infinitas posibilidades que ofrece la geolocalización a través de dispositivos móviles como Blackberrys o iPhones va a poner en marcha la auténtica revolución del geomarketing. Facebook ya ha puesto en marcha su Facebook Lugares y unido a él Facebook Ofertas, modelos preconcebidos para mejorar las relaciones entre las marcas y los consumidores. Véase la figura 1.21.

El futuro de las ofertas y los descuentos unidos a la geolocalización del usuario no ha hecho más que comenzar. De todos modos, no es más que una vuelta a comenzar, una reinvención de la oferta para crear nuevas estrategias de valor.

Figura 1.20. Sólo la App Store de Apple (Store.apple.com/es) supera los 15 millones de descargas de Apps al día. Muchas compañías no dudan en crear aplicaciones específicas para sus negocios.

Figura 1.21. El futuro de las ofertas y los descuentos unidos a la geolocalización del usuario no ha hecho más que comenzar. Y más con el desembarco de los terminales con GPS.

Publicidad social

La aparición del nuevo sistema de publicidad de afiliados de Facebook, para competir con Google AdSense, permitirá a *blogs* y sitios especializados ocupar sus espacios publicitarios con patrocinios cada vez más sociales. Si a esto le unimos el movimiento de Twitter para buscar fórmulas de ofrecer publicidad, el sector del marketing digital estará de enhorabuena.

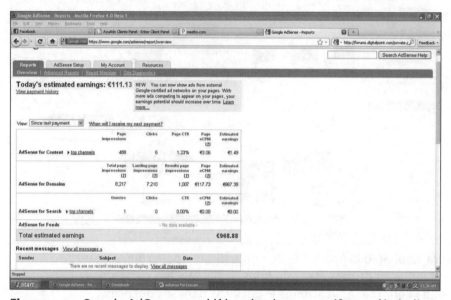

Figura 1.22. Google AdSense es el líder absoluto, sus cifras así lo indican. Pero los nuevos sistemas de publicidad de afiliados a través de los Social Media se lo van a poner difícil.

Analítica Social Media

No es complicado pensar que las herramientas de analítica Web comiencen a incorporar también métricas Social Media. Debido a su enorme éxito se hace prioritario para el Marketing de productos y servicios poder comenzar a segmentar y optimizar a través de nuevas capacidades, como el comportamiento en las plataformas sociales o el índice de reputación social.

Reputación social

Durante los próximos años va a crecer enormemente la necesidad de gestionar nuestra "marca personal" en los Social Media. Los profesionales más cercanos a la tecnología ya han comenzado a trabajar sobre su reputación digital pero esto se va a traducir en una tendencia que llegará poco a poco a todo tipo de usuarios de Social Media. No será suficiente con decir lo que somos y cómo somos, sino que deberemos poder demostrarlo a través de los Social Media y del contenido que generemos en ellos.

Figura 1.23. Los profesionales más cercanos a la tecnología ya han comenzado a trabajar sobre su reputación digital y esto se va a traducir en una tendencia.

Compras socializadas

La búsqueda del descuento, de la oferta, del regalo está siendo una de las principales razones del auge de los Social Media. Básicamente está siendo un vehículo perfecto para llegar a un público objetivo global marcado por una coyuntura económica difícil.

Hay quien cree que palabras como "descuento" o "cupón" serán top en búsquedas de Google de ahora en adelante. De ahí el éxito de plataformas de compra colectiva como Groupon (`groupon.es`) o de comercios electrónicos basados en la oferta como Buyvip (`buyvip.com`).

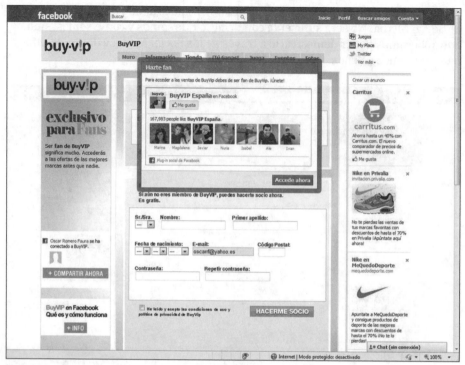

Figura 1.24. Hay quien cree que palabras como "descuento" o "cupón" serán top en búsquedas de Google de ahora en adelante. De ahí el éxito de comercios electrónicos basados en la oferta como Buyvip (buyvip.com).

Compañías sociales

La desaceleración económica hace que las oportunidades que se avecinan en el mundo del comercio electrónico sean variadas e interesantes. Crisis es igual a oportunidad. Hay millones de estudiantes graduándose en universidades de todo el mundo, lo cual advierte de que esos mismos profesionales cualificados del futuro crearán sus propias empresas sociales con un importante carácter creativo y competitivo. Esto siempre se convierte en un desafío para las empresas ya establecidas, lo cual siempre genera evolución.

Monedas sociales

La unión de un dispositivo móvil y la posibilidad de pagar con él tiene que terminar por establecerse. La modernización de los negocios va a empujar a usar sistemas de pago más rápidos y personales que la moneda convencional o la tarjeta de crédito.

Ya se está trabajando sobre servicios como Dwolla (dwolla.com) que ofrece la posibilidad de enviar y recibir dinero mediante transferencias bancarias directamente en Facebook y Twitter a un coste muy reducido.

Además, posiblemente comenzará a irrumpir en escena el dinero virtual, ya no sólo hablaremos de euros o dólares, también lo haremos de Facebook Credits.

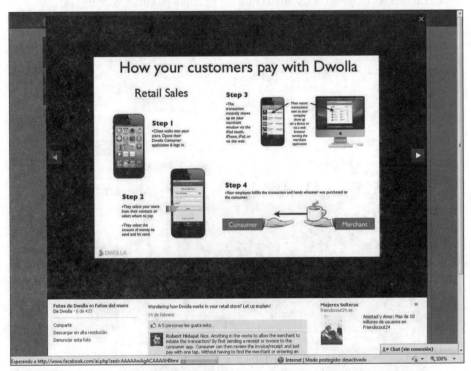

Figura 1.25. La modernización de los negocios va a empujar a utilizar sistemas de pago más rápidos y personales que la moneda convencional o la tarjeta de crédito.

Formación social

En breve puede comenzar un proceso por el que se pondrán en contacto las ofertas de formación continua corporativas, dirigidas a los trabajadores de organizaciones e instituciones, con los Social Media.

Los primeros pasos posiblemente se darán a nivel informativo, a través de plataformas sociales corporativas, pero la tendencia dice que posteriormente el alumno podrá desarrollar el proceso de formación a través de cursos en los propios Social Media.

Jugando para relacionarse

Los juegos pueden convertirse en un vehículo importante de relación. A día
de hoy empresas de todo tipo están desarrollando juegos sociales para dar
visibilidad a sus marcas. Las experiencias realizadas hasta ahora han sido
un completo éxito. No sería nada sorprendente que muchos de estos juegos
consiguieran registrar más usuarios que las propias páginas Web de las
compañías.

Figura 1.26. Los juegos pueden convertirse en un vehículo importante
de relación y negocio dentro de los Social Media.

CUÁL ES EL PERFIL DEL USUARIO ACTUAL

Aunque puedan parecer ingenuos, hay detalles que por su propia simpleza
sugieren interesantes reflexiones. Pues vamos a ello. Según un estudio de la
consultora online 101 (101.es) los cuatro términos más buscados durante
2010 en Google España fueron las palabras Facebook, Youtube, Tuenti y
Twitter. Cuando menos sorprendente ¿verdad? Ahora viene la reflexión ¿Qué
consecuencia podemos sacar de un dato tan simple? Básicamente que no son

tantos los que se mueven con facilidad en los Social Media y que todavía son muchos, bastantes más de lo que creemos y menos de los que nos gustaría, los que comienzan de cero en esto de la comunicación social.

Los cuatro términos más buscados durante 2010 en Google España fueron las palabras Facebook, Youtube, Tuenti y Twitter. ¿Curioso verdad?

Sin embargo, paralelamente hay detalles que muestran el ímpetu con el que el usuario de Social Media colabora, participa y comparte, sea cual sea su nivel de conocimiento del medio. Un dato que lo certifica dice que durante el último fin de semana de 2010 se subieron a Facebook más de 750 millones de fotografías, tan sólo en dos días. Es una cifra demoledora, sobre todo si se tiene en cuenta que los usuarios de Facebook suben una media de 100 millones de fotografías al día al portal. Parece que la comunidad online más grande del mundo decidió festejar el estreno de 2011 compartiendo con amigos y familiares instantáneas de las celebraciones del nuevo año.

Figura 1.27. Durante el último fin de semana de 2010 se subieron a Facebook más de 750 millones de fotografías, tan sólo en dos días. Una cifra demoledora.

Según Nielsen, en 2009, dos tercios de los usuarios conectados a Internet usaban redes sociales, la acción de visitar sitios sociales era su cuarta actividad más importante (por delante de la gestión de su correo electrónico personal) y el tiempo dedicado a las redes sociales estaba creciendo tres veces más que la tasa global de Internet.

Entonces, ¿ante quién nos encontramos? ¿Cuál es el perfil del usuario de Social Media? ¿Es el que busca la palabra Facebook en Google o el que es capaz de disponer de un álbum en la plataforma y alimentarlo habitualmente?

> Para compañías y marcas puede resultar muy relevante acertar por donde irá el futuro desarrollo de las plataformas sociales en cuanto al perfil de sus usuarios o identificar aquellos nichos de mercado que serán explotados con éxito por nuevos jugadores sociales de la red.

Es difícil, muy difícil. Por ejemplo, España se encuentra en el puesto 13 mundial por volumen de usuarios de Facebook, con más de 12 millones. El perfil español se diferencia de la media global por el alto peso femenino, la menor presencia de adolescentes (básicamente por el protagonismo de Tuenti) y el mayor peso de los usuarios con una edad entre 30-39 años.

Uno de los parámetros más importantes en los negocios, ya sean convencionales o vinculados a los Social Media. Si además se busca aplicar estrategias de Marketing en plataformas como Facebook, Linkedin o Twitter el análisis del público objetivo es fundamental. La labor del Community Manager en esta área es la constante búsqueda de información sobre su cliente. Investigar, analizar, comparar y corregir la información sobre el público objetivo de su comunidad, esa es la fórmula del éxito.

> Conocer el perfil del usuario de nuestra red nos permite orientar la estrategia de forma más subjetiva y personalizada, es decir, a medida del cliente. Como en todos los ámbitos del marketing, disponer de información actualizada y relevante permite adelantarse a los acontecimientos.

¿Por qué es tan importante saber cuál es el perfil actual del usuario de nuestra red? Básicamente conocer el perfil concreto del público objetivo, como ocurre casi siempre en tareas que tienen que ver con el Marketing, es vital, casi trascendental, para el día a día de un Community Manager. La segmentación del usuario es muy importante a nivel comercial. Conocer, por ejemplo, que el usuario es fan de Carolina Herrera en Facebook puede permitirnos desarrollar campañas con determinado tipo de descuentos y marcas, conocer que el usuario acaba de dejar una relación sentimental, aunque es dudable que fuera ético utilizarlo, permitiría trabajar al detalle y ubicar publicidad de sitios dedicados a generar relaciones. Estos datos, por diversas razones, son difíciles de obtener y no llegan aún a los Community Manager.

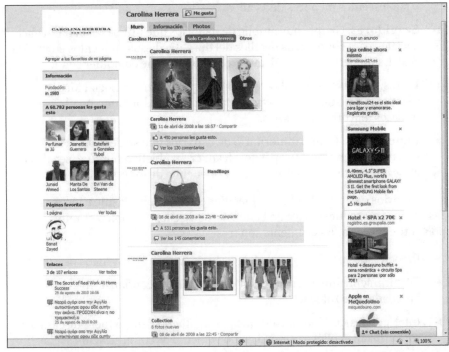

Figura 1.28. Conocer, por ejemplo, que el usuario es fan de Carolina Herrera en Facebook puede permitirnos desarrollar campañas con determinado tipo de descuentos y marcas.

Por esto los gestores de redes y profesionales de los Social Media trabajan aún con segmentaciones muy generalizadas. Lo normal es disponer de datos básicos como: edad, sexo, territorio, profesión, intereses de ocio, preferencias, gustos generales, sin entrar todavía en detalles sociales como sobre lo que ha opinado o le ha pasado en su vida últimamente.

Sin embargo, si se puede realizar una catalogación básica de los usuarios de los Social Media según sus actitudes y comportamientos en su día a día social. De esta forma se podrían dividir en:

▶ **Alpha Socialisers**. Grupo minoritario de usuarios que utiliza los Social Media en intensos y cortos periodos de tiempo con el fin de conocer gente nueva, ligar y entretenerse. Es un perfil en los hombres por debajo de los 25 años.

- **Buscadores de atención**. Grupo algo más extendido de usuarios que fundamentalmente persigue la atención y el interés de los demás. Lo hacen publicando fotos personales, haciendo comentarios constantes y personalizando al máximo sus perfiles. Habitualmente se trata de mujeres y adolescentes menores de 35 años.

- **Seguidores**. Grupo muy amplio de usuarios que utiliza las plataformas sociales para conocer los detalles del día a día de sus conocidos en la vida real. Es un perfil universal, mujeres y hombres de cualquier edad.

- **Fieles**. Grupo muy amplio de usuarios que utiliza los Social Media para recuperar amistades del pasado. Habitualmente son tanto hombres como mujeres mayores de 20 años.

- **Funcionales**. Grupo minoritario de usuarios que suele utilizar las redes sociales con un único propósito, alcanzar un objetivo puntual, sea de la clase que sea. Suelen ser hombres por encima de los 20 años.

Los no usuarios de Social Media también tienen su propia clasificación, basada en las razones que aducen para no beneficiarse de ellos. También es muy importante conocerla. Básicamente son tres:

- Preocupados por la seguridad, reticentes a mostrar sus datos personales.

- Técnicamente inexpertos, con miedos y falta de confianza en el uso de ordenadores e Internet.

- Intelectuales, individualistas que pasan mucho tiempo fuera de casa y que sólo utilizan el teléfono móvil como vehículo de comunicación social.

NUEVAS ACTITUDES DEL USUARIO Y LA MARCA

Siempre me ha entusiasmado la figura del padre (o madre) del árbitro de fútbol y su intrahistoria, que la hay. Como padre, cuando tu hijo es un buen jugador de fútbol te llena de orgullo ver cómo los espectadores ovacionan una jugada, un pase o un gol. Pero ¿y el padre del colegiado? No es fácil para él. Existe una leyenda urbana que define al padre de un conocido árbitro de Primera División como una persona paranoica incapaz de ver un partido en el que su hijo arbitrara. Lógicamente, no soportaba la idea de ver como su hijo, lo hiciera bien o mal, iba a ser maltratado e insultado. Era incapaz de poder ver un partido en la grada, e incluso no era capaz de comprar el periódico deportivo del día siguiente para no encontrarse con las temidas críticas.

La obsesión por activar la escucha y medir los resultados es muestra de la importancia que los Social Media están tomando en las empresas.

En el momento actual, con la aparición de los Social Media y las nuevas actitudes de consumo, muchas empresas y marcas pueden verse reflejadas en una actitud muy parecida, que podríamos llamar "de padre de árbitro".

Hoy el usuario dice y comenta. Habla de tu marca, de tu producto, de lo que le gusta menos de lo que haces y de lo que le disgusta más de ti. Es una constante exposición con la que el usuario está encantado y con la que la marca aún no termina de encontrarse del todo a gusto.

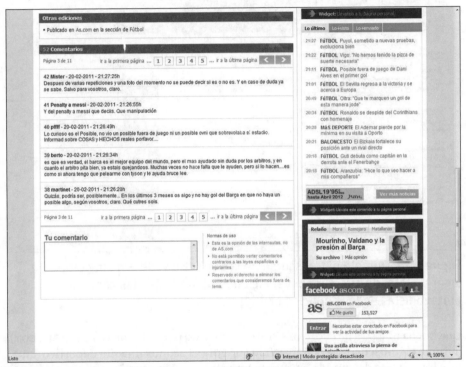

Figura 1.29. Hoy el usuario dice y comenta. Habla de tu marca, de tu producto, de lo que le gusta menos de lo que haces y de lo que le disgusta más de ti. Lo peor es que seas el padre del árbitro.

Un usuario cualquiera dispone a día de hoy de miles de herramientas sociales que le permiten hablar y escuchar lo que quiera, cuando quiera y como quiera.

Esto no es ni más ni menos que un comportamiento de la naturaleza humana.

Un ejemplo de la importancia que están tomando las conversaciones sociales para las empresas y sus marcas es su reciente obsesión por activar la escucha y medir los resultados. Sin duda, una excelente práctica.

Figura 1.30. Durante el transcurso de la Super Bowl de 2011 tuvieron lugar un total de 255.431 conversaciones centradas en las compañías protagonistas de los anuncios emitidos.

Una buena muestra de ello, es el informe realizado por Alterian (`alterian.com`) durante el transcurso de la Super Bowl de 2011, el acontecimiento deportivo anual más importante del mundo en cuanto a audiencias. Un buen informe, una buena orientación.

El estudio midió el número de conversaciones en medios sociales protagonizadas por las marcas anunciantes durante el período transcurrido entre el 1 de diciembre de 2010 y el 6 de febrero de 2011. Según los datos tuvieron lugar un total de 255.431 conversaciones centradas en las compañías protagonistas de los anuncios emitidos.

Volkswagen, Doritos, Pepsi, Groupon, y Motorola, por este orden, fueron los anunciantes que ocuparon los cinco primeros lugares en obtener menciones sociales y fueron las plataformas de microblogs, con Twitter a la cabeza, el vehículo preferido por los usuarios para ofrecer su opinión (65%). Conscientes de la importancia de la exposición, pero mucho más aún preocupados por escuchar al usuario, el estudio valoró el número de conversaciones por marca y su contenido, fundamentalmente para conocer si el usuario era positivo o negativo ante el mensaje transmitido.

Pues bien, los resultados mostraron que fue Volkswagen quien lideró el número de conversaciones sociales (10.342) pero que también dominó en el mayor porcentaje de opiniones positivas (22,03%) y en el menor de negativas (3,04%).

Sin embargo fue Groupon, con un spot con referencias a las luchas del pueblo tibetano, quien obtuvo el récord de conversaciones negativas (12,96%).

Estudios como éste demuestran que las compañías comienzan a entender que es imposible tanto ocultar la opinión de un usuario insatisfecho o como la de un fan enloquecido, y comienzan a estar muy interesadas por sus criterios ya sean positivos o negativos.

Medir los resultados de la imagen que proyecta una marca en el usuario de los Social Media permite conocer al detalle el resultado de la orientación del trabajo de una compañía en tiempo real, algo de un valor incalculable.

CONSECUENCIAS DEL CAMBIO

Starbucks Corporation, la compañía de café más grande del mundo, conoce de primera mano las consecuencias del cambio de la sociedad y, sobre todo, de cómo hay que revertirlo en beneficio propio. Es, sin duda, una de las compañías que mejor ha sabido adaptarse a los beneficios de los Social Media. Véase la figura 1.31.

Como muestra un ejemplo:

Hace ya algún tiempo, en un movimiento completamente ajeno a la compañía, Jim Romenesko decidió crear un *blog* para debatir sobre Starbucks, donde el protagonista iba a ser el chisme y el cotilleo. El sitio en cuestión se denomina Starbucks Gossip (StarbucksGossip.com) (@SbucksGossip). Basta con visitarlo y pegar un primer vistazo para descubrir todo tipo de detalles sobre la marca: reflexiones, consejos, quejas, sátiras, etc. Como ejemplo, se pueden leer comentarios de empleados despedidos, confesiones de sindicalistas de la firma o clientes insatisfechos por el rumbo que ha tomado la empresa y sus productos.

¿Cuál ha sido la actitud de la compañía ante la aparición de este supuesto "enemigo"? La mejor posible, tomarlo muy en cuenta y servirse del contenido del sitio para mejorar y socializarse aún más.

De hecho, en algún caso el simple hecho de la publicación de un comentario en Starbucks Gossip ha tenido como consecuencia que la compañía tome acciones directas y abiertas, hasta el punto de que alguno de los empleados despedidos ha conseguido recuperar su puesto de trabajo.

Figura 1.31. Starbucks conoce de primera mano las consecuencias del cambio de la sociedad y, sobre todo, de cómo hay que revertirlo en beneficio propio.

Gracias al *blog*, Starbucks dispone de un canal muy potente que le facilita un feedback que resulta ser de un gran valor para ellos... y con coste cero.

Éste es un buen ejemplo de lo que puede ocurrir cuando los empleados y clientes de una misma marca deciden agruparse para "hablar" sobre una gran compañía. También la consecuencia de un cambio que a Starbucks le ha obligado a aprender algunas reglas muy importantes sobre los Social Media y los negocios actuales.

1. Los Social Media son una base imprescindible para descubrir las opiniones del cliente.

2. No se pueden controlar las conversaciones pero, de algún modo, sí se puede decidir sobre ellas.

3. La influencia es la base sobre la que se construyen las relaciones actuales.

Pero, ¿es Starbucks la única compañía a la que le ha ocurrido algo así? No. Esto es y será el pan nuestro de cada día. Basta, por ejemplo, con visitar sitios como (JobSchmob.com) para comprobar cómo miles de empleados molestos despotrican de sus jefes y de las condiciones de trabajo en sus empresas.

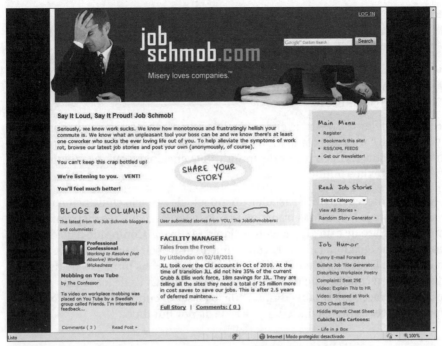

Figura 1.32. Basta con visitar sitios como (JobSchmob.com) para comprobar cómo miles de empleados molestos despotrican de sus jefes y de las condiciones de trabajo en sus empresas.

Hasta los más escépticos han tenido que sucumbir ya ante el poder de los Social Media. Rupert Murdoch, el gran magnate de la prensa mundial, que al comienzo bautizó los Social Media como "un interesante fenómeno" dice ahora cosas como ésta: "los medios sociales están democratizando las comunicaciones. La tecnología está quitando el poder a los editores, a las editoriales, a la élite de los medios de comunicación. Ahora es la gente la que tiene el control."

Rupert Murdoch, a pesar de ser un escéptico, como es el caso de otros muchos empresarios de distintos sectores, está trabajando para descubrir cómo puede mantener su posición de privilegio en su sector, valiéndose de los Social Media. Basándonos en hechos consumados, podríamos hacer una valoración de los resultados cuantitativos que ha obtenido tras el intento de adaptarse al "fenómeno" Social Media. Es un ejemplo interesante de cómo una compañía líder en su sector ha realizado un movimiento empresarial de "huida hacía adelante" con respecto a los Social Media completamente erróneo.

Para comenzar se definió una estrategia para adaptarse a las circunstancias y asumir algunos nuevos retos muy complicados si se quiere mantener un modelo de negocio convencional. Son los siguientes:

▶ Garantizar que la presencia en Internet no bloquee la presencia convencional, base de su negocio hasta ahora. Es decir, que la pantalla no elimine los beneficios que genera el papel.

▶ Compatibilizar la presencia en Internet con los negocios convencionales, y que ambos modelos sean exitosos. Es decir, que Internet sea un canal más de crecimiento.

▶ Consolidar la presencia en Internet de modo que los negocios online planten cara a sus competidores para convertirse también en líderes de contenido. Es decir, venir del mundo convencional y querer repetir los mismo éxitos online.

Beeep, Beeep, Beeep. Error. Trasladar un modelo de negocio convencional a los Social Media, bajo las rutinas tradicionales de hacer negocios, es disparatado. El ejemplo más claro de esta afirmación se llama MySpace. Comprado a mediados de 2005 a golpe de talonario por la compañía de Murdoch para impulsar sus actividades en los Social Media, a día de hoy se muere. Sus números no dejan de disminuir en contraposición a los de otros protagonistas de los Social Media, como Facebook o Linkedin. Lo que iba a ser el buque insignia de News Corporation, se desploma día a día y ya se le da por hundido.

Muchos empresarios de distintos sectores están trabajando para descubrir cómo pueden mantener su posición de privilegio en su sector, valiéndose de los Social Media.

Figura 1.33. Según Rupert Murdoch, "los medios sociales están democratizando las comunicaciones. La tecnología está quitando el poder a los editores, a las editoriales, a la élite de los medios de comunicación. Ahora es la gente la que tiene el control."

Otro ejemplo lo protagoniza uno de los pasos dados por Murdoch para intentar rentabilizar sus contenidos, pretendiendo cobrar por la lectura de sus principales cabeceras. Incluso el anuncio por parte de News Corp y Associated Press de que betarían el acceso a sus contenidos por parte de buscadores como Google.

> Los Social Media han hechizado al usuario con la libertad, la participación y la colaboración.

Conclusión, trasladar al mundo digital el modelo de hacer negocios en el mundo real es siempre sinónimo de gran fracaso. Ya ha habido incluso quien se ha atrevido a diagnosticar que Rupert Murdoch llevará al suicidio digital a News Corp y Associated Press, aunque teniendo en cuenta los innumerables éxitos cosechados a lo largo de sus 50 años de carrera parece difícil diagnosticar algo así. De hecho su último proyecto digital, una publicación exclusiva para iPad denominada "The Daily" con un presupuesto de 30 millones de dólares, intentará quitar la razón a los malos agoreros.¿Lo conseguirá?

Figura 1.34. El último proyecto digital de Murdoch, una publicación exclusiva para iPad denominada "The Daily" con un presupuesto de 30 millones de dólares, intentará quitar la razón a los malos agoreros.

Para muchos no es fácil entender que la base sobre la que se cimientan los Social Media es la escucha. La escucha con mayúsculas. La gran complicación para los medios tradicionales es que los Social Media no permiten entablar un monólogo unidireccional como al que nos tenían acostumbrados.

Los consumidores dispuestos a recibir pasivamente la información están en vía de desaparición. Los Social Media han hechizado al usuario con la libertad, con esa increíble capacidad de posibilitar la participación y la colaboración, de poder opinar cuándo y cómo se quiera de lo que se quiera, de ahí que sea un modelo difícil de aceptar para líderes de opinión del mundo convencional.

QUÉ BUSCA EL USUARIO ACTUAL

Un mundo cada vez más complejo e hiperconectado plantea renovadas exigencias de comunicación y, en general, de consumo de contenidos y conversaciones. Básicamente, no se trata tanto de cómo se ha producido tradicionalmente el contenido de medios impresos y audiovisuales, sino más bien de un concepto de narraciones visuales y audiovisuales interactivas que deben ser originalmente unidireccionales.

El increíble éxito en la rápida adopción de las plataformas sociales por parte del usuario, tiene que ver sobre todo con esa bidireccionalidad, con esa enorme capacidad de ofrecer libertad, interactividad, viralidad e inmediatez en contenidos en más de un sentido.

Si al hecho de poder permitir una comunicación libre le unimos la posibilidad de poder compartir su existencia con facilidad, el cóctel es redondo. Véase la figura 1.35.

Por otro lado, por mucho que los medios de comunicación tradicionales y sociales insistan en transmitir que los Social Media ayudan a las marcas a crear relaciones mucho más cercanas y afectivas con sus usuarios, la realidad es que esto no es del todo cierto.

Realmente el consumidor es egoísta, igual que lo son la empresa o la marca, y muestra claramente sus motivaciones. Véase la figura 1.36.

La gran mayoría de usuarios no buscan en la presencia de una empresa en los Social Media relaciones de este tipo, más bien desea que le ofrezcan algo valioso a cambio de un clic, una visita o una opinión. La experiencia dice que un usuario quiere descuentos, promociones, ahorros, regalos... como en la vida real. No busca sentirse querido, quiere sacar provecho de su visita. El cliente no desea mensajes cercanos y cálidos de sus marcas, quiere aprovechar todo aquello que le puedan ofrecer. Entre un cálido y cercano mensaje de Starbucks y un mensaje directo a Facebook Lugares para tomar un café gratis en uno de sus locales ¿qué prefiere el usuario? Está claro. Véase la figura 1.37.

Figura 1.35. El increíble éxito en la rápida adopción de las plataformas sociales por parte del usuario, tiene que ver con su enorme capacidad para ofrecer libertad, interactividad, viralidad e inmediatez.

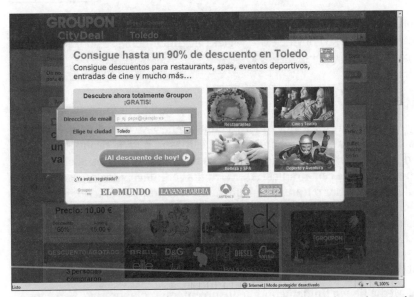

Figura 1.36. Realmente el consumidor es egoísta, igual que lo son la empresa o la marca, y muestra claramente sus motivaciones. La experiencia dice que un usuario quiere descuentos, promociones, ahorros, regalos... como en la vida real.

Figura 1.37. Entre un cálido y cercano mensaje de Starbucks y un mensaje directo a Facebook Lugares para tomar un café gratis en uno de sus locales ¿qué prefiere el usuario?

El usuario ha encontrado en las plataformas un "pack" difícil de rechazar: libertad, interactividad, viralidad y... velocidad.

Éstas son las características que el usuario ha encontrado en los Social Media, que han contribuido a su enorme éxito y a las que difícilmente se podrá renunciar en el futuro:

Libertad

Cualquiera puede expresar lo que quiera, cuando quiera y como quiera. Ahora el usuario puede opinar con total libertad sobre nuestra marca, producto, o incluso de nosotros mismos, ya sea positiva o negativamente. Los Social Media son difícilmente censurables. Ahora cualquier internauta es, gracias a la posibilidad de opinar o transmitir información valiosa, un creador de información relevante. El formato de *blog* personal es el ejemplo más cercano y, posiblemente, Wikileaks sea el ejemplo más sonado. Véase la figura 1.38.

Interactividad

Los Social Media tienen fundamentalmente un enfoque colaborativo. Espacios sociales como las páginas de *fans*, los juegos en grupo o los comentarios en periódicos y *blogs* son pequeños ejemplos de cómo la interacción a modo de diálogo y la participación son piezas fundamentales en el día a día. Plataformas como Facebook y Twitter son un claro ejemplo de esto.

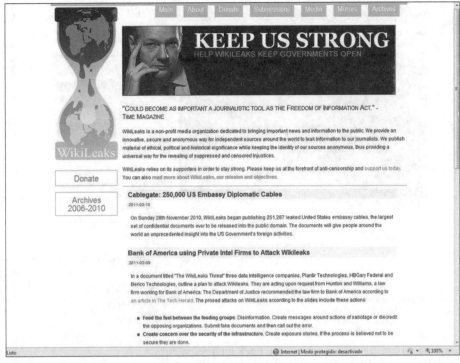

Figura 1.38. Los Social Media son difícilmente censurables. Ahora cualquier internauta es, gracias a la posibilidad de opinar o transmitir información valiosa, un creador de información relevante.

Viralidad

El carácter viral de los Social Media lo marca la posibilidad de que el propio usuario sea el protagonista de la evolución del conocimiento de un determinado contenido. El usuario decide qué, cómo y cuándo comparte algo que le gusta o que no le gusta. También decide si lo hace o no.

A nadie le amarga un dulce. Cualquiera, y no digamos una marca o empresa, estaría encantado de poder lograr en algún momento que su mensaje resulte tan atractivo como para que el resto que decida compartirlo de forma masiva.

Un claro ejemplo de esto lo protagoniza Antoine Dodson, un desconocido de 26 años que durante una entrevista para una televisión local contó cómo había ahuyentado a un violador que intentó atacar a su hermana. Actualmente dispone de un vídeo en Youtube que tiene más de 72 millones de visualizaciones, una línea propia de ropa y una aplicación para iPhone y Android denominada "Sex Offender Tracker". Todo un éxito de viralidad.

Figura 1.39. Antoine Dodson, un desconocido de 26 años, dispone de un vídeo en Youtube que tiene más de 72 millones de visualizaciones, una línea propia de ropa y una aplicación para iPhone y Android. Todo un éxito de viralidad.

> La última referencia de la viralidad social son los "meme" (de una mente a otra). Un comentario, una fotografía o un vídeo que se propaga como si fuera un virus y que, posteriormente, es transformado por otros usuarios para adoptar nuevos conceptos.

Velocidad

Teniendo en cuenta que las plataformas sociales son cada vez más utilizadas (sólo Facebook ha superado ya la barrera de los 650 millones de usuarios) es indudable que se han convertido en la fuente de información más rápida, tanto a la hora de informar como de informarse.

A día de hoy las noticias se conocen primero a través de Twitter o Facebook y a continuación son publicadas por los medios tradicionales. De un modo muy rápido y directo nos permiten conocer tanto los detalles o intrahistorias de un famoso como las de nuestro primo de Australia. Se trata simplemente de una cuestión de unos segundos, los que tarda el emisor en informar y los que tarda el receptor en hacerse eco de la información.

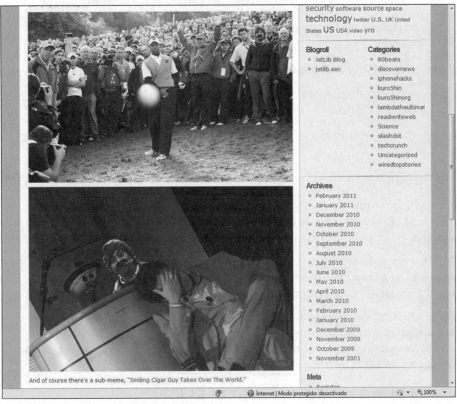

Figura 1.40. Una imagen transformada por los usuarios para adoptar nuevos conceptos. Un meme.

DATOS Y ESTADÍSTICAS ACTUALES

Antes de comenzar a tratar los temas que tienen que ver exclusivamente con la labor de un Community Manager, es preciso hacer un pequeño análisis de la situación actual para establecer las primeras pautas de investigación.

Para comenzar es necesario conocer los datos globales de audiencias de Internet y algunos de los particulares de las plataformas más utilizadas.

Según un estudio de Pingdom (`pingdom.com`), con fecha de finales de Enero de 2011, los datos más importantes se detallan a continuación.

Internet

Los datos nos relevan cifras que van en aumento día a día:

▶ 1.970.000.000.000.000 de usuarios de Internet (Junio 2010).

▶ 14 por cien de incremento de usuarios de Internet con respecto al año anterior.

▶ 21.400.000.000 de sitios Web nuevos.

▶ 202.000.000 nombres de dominio de nivel superior nuevos (Octubre 2010).

▶ 152.000.000 de *blogs* registrados durante 2010 (según `BlogPulse.com`).

Facebook

Facebook tiene más de 600.000.000 de usuarios activos. El 30 por cien tiene más de 35 años, aunque es la franja de 18 a 24 años donde Facebook gana más adeptos.

Y es que no podemos negar que forma parte de la vida y rutina de muchas personas, el 48 por cien de los usuarios de Facebook de entre 18 y 34 años visita la red social nada más despertarse.

Estos usuarios, no sólo son activos, sino también prolíficos: cada 20 minutos se comparten un millón de enlaces, se envían alrededor de 1,5 millones de invitaciones a eventos, se aceptan casi 2 millones de solicitudes de amistad y se envían 2,7 millones de mensajes personales.

▶ 600.000.000 de usuarios activos.

▶ 770.000.000.000 de visitas al mes.

▶ 250.000.000 nuevos usuarios.

▶ 40 veces al mes se conecta el usuario promedio.

▶ 15 horas al mes está cada usuario en línea de promedio.

▶ 200.000.000 de usuarios utilizan aplicaciones móviles.

▶ 130 personas conectadas de promedio tiene cada usuario.

▶ 30.000.000.000.000 de piezas de contenidos (links, notas, fotos, etc.) compartidas cada mes.

▶ 20.000.000 de aplicaciones instaladas cada día.

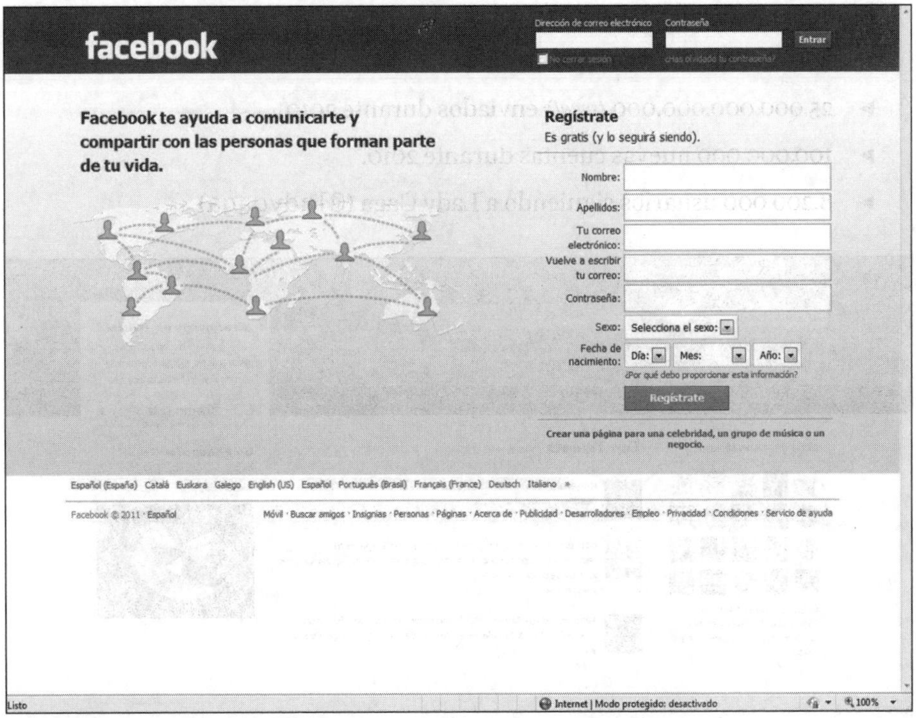

Figura 1.41. En Facebook cada 20 minutos se comparten un millón de enlaces.

Twitter

Twitter, la segunda plataforma social por número de usuarios tras Facebook, alcanzó los 200 millones de usuarios registrados en los primeros meses de 2011.

La mayor cantidad de usuarios se encuentra entre los 18 a 29 años, entre éstos hay más hombres que mujeres (10% hombres vs 9% mujeres) y el 30 por cien del total de los usuarios registrados tiene estudios universitarios.

Los twitteros envían diariamente 110 millones de *tweets* y, además de tener fama de muy activos, son especialmente prolíficos ya que cada 20 minutos comparten un millón de enlaces y envían alrededor de 1,5 millones de invitaciones a eventos.

Curiosamente suelen ser más activos por la mañana, su hora preferida es la que va de 10 a 11 de la mañana, y prefieren los miércoles y los jueves para twittear.

En Twitter se realizan 600 millones de búsquedas diarias y el 40 por cien de los mensajes vienen a través de dispositivos móviles.

- ▶ 200.000.000 de usuarios.

- ▶ 300.000 nuevos usuarios al día.

- ▶ 25.000.000.000.000 *tweets* enviados durante 2010.

- ▶ 100.000.000 nuevas cuentas durante 2010.

- ▶ 8.200.000 usuarios siguiendo a Lady Gaga (@ladygaga).

Figura 1.42. En Twitter, sus usuarios envían al día 110 millones de tweets.

Linkedin

Linkedin alcanzó los 90 millones de usuarios a finales de 2010, de los cuales más de la mitad se encuentran fuera de Estados Unidos. Con usuarios en más de 200 países distintos, los hombres (61%) destacan sobre las mujeres (39%). En cuanto a edades, el 51 por cien de sus usuarios tiene entre 25 y 34 años y el 26 por cien tiene entre 18 y 24 años. 560.000 profesionales visitan diariamente su página y cada segundo se crea un nuevo perfil en ella.

Durante 2010 se realizaron casi dos mil millones de búsquedas de usuarios y desde Enero de 2011 cuenta entre sus usuarios con ejecutivos de todas las empresas Fortune 500.

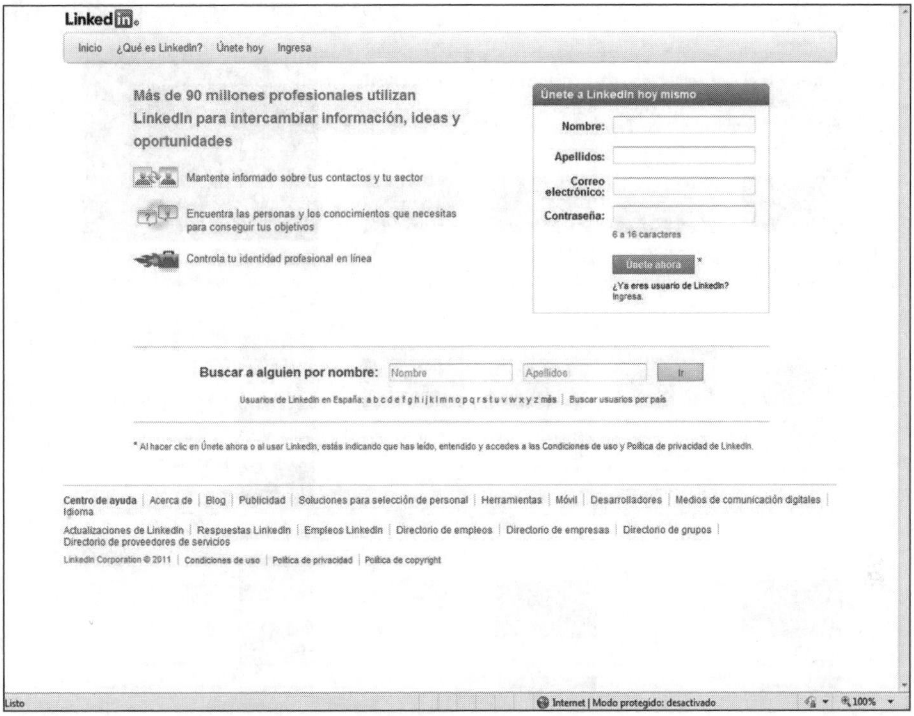

Figura 1.43. Linkedin alcanzó los 90 millones de usuarios a finales de 2010.

Más de un millón de empresas tienen ya páginas empresariales en LinkedIn (anteriormente conocidas como perfiles de empresa).

▶ 200.000.000 de usuarios.

▶ 1 nuevo perfil cada día.

▶ 200 países distintos.

Youtube

Como dato una cifra; cada cada minuto los usuarios suben más de 35 horas de vídeo. Esta cifra equivale a la reproducción semanal de más de 150.000 películas de larga duración en los cines.

En 60 días se sube más contenido de vídeo a YouTube que el producido por las tres principales cadenas de televisión estadounidenses durante 60 años.

El perfil de usuario comprende un abanico amplio de edad que va entre los 18 y los 54 años.

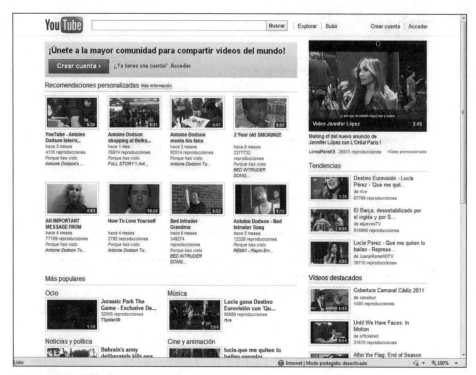

Figura 1.44. En dos meses se sube más contenido de vídeo a YouTube que el producido por las tres principales cadenas de televisión estadounidenses durante 60 años.

Un tweet compartido automáticamente da lugar a aproximadamente 6 nuevas sesiones de youtube.com.

► 490.000.000 de usuarios y visitantes cada mes.

► 92.000.000.000 de visitas.

► 14 veces al día se conecta el usuario promedio.

► 5 horas al mes está cada usuario en línea de promedio.

► 2.000.000.000.000 de vídeos vistos al día.

► 35 horas de vídeo subidas cada minuto.

2. Tú el profesional, tú el Community Manager

LA FIGURA DEL COMMUNITY MANAGER

Los que tenemos años de vuelo en esto de Internet hemos visto caer todo tipo de burbujas y modas con la misma velocidad con la que han llegado. No, ni mucho menos quiero insinuar que la figura del Community Manager y su labor dentro de una empresa sea una moda pasajera, más bien quiero decir que muchos de los que ahora utilizan la palabrita de un modo tan grandilocuente, lo hacían igual hace unos años cuando hablaban de Geocities, SecondLife o Webmaster.

Pues bien, vayamos al grano, sin intentar ser pomposos, básicamente un Community Manager no es ni más ni menos que un Product Manager 2.0, un Jefe de Producto de toda la vida que tiene un producto con unas características muy especiales entre sus manos, un producto llamado Social Media. No es un nuevo invento, no es ninguna gran revolución, es simplemente la adaptación de un profesional a una serie de labores y responsabilidades basadas en nuevos conceptos.

Si revisamos la definición de lo que es un Jefe de Producto tradicional veremos que "es el máximo responsable de un servicio, producto o gama de productos. Su implicación dura desde la concepción del mismo hasta su desaparición. Gestionará el producto a lo largo de todo su ciclo de vida definiendo en cada momento las estrategias comerciales y de marketing a seguir. También velará por la maximización de los beneficios producidos por el mismo mediante su relanzamiento en fases de declive o la implementación de otras estrategias encaminadas a prolongar su existencia".

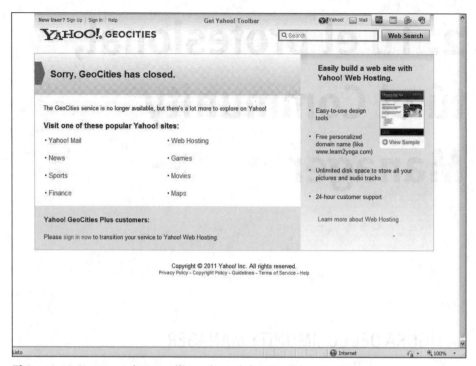

Figura 2.1. Los que ahora utilizan la palaba Community Manager de un modo tan grandilocuente, lo hacían igual hace unos años cuando hablaban de Geocities.

> Debe quedar claro que un Community Manager, por definición, no proviene de ninguna facultad ni ostenta un título superior.

Esta definición, en concepto, no está muy lejos de la desarrollada por los más importantes gurús e instituciones de los Social Media de la palabra Community Manager. Según AERCO (Asociación Española de Responsables de Comunidades Online) un Community Manager es "aquella persona encargada o responsable de sostener, acrecentar y, en cierta forma, defender las relaciones de la empresa con sus clientes en el ámbito digital, gracias al conocimiento de las necesidades y los planteamientos estratégicos de la organización y los intereses de los clientes. Una persona que conoce los objetivos y actúa en consecuencia para conseguirlos". Es decir, no es ni más ni menos que un profesional que debe convertirse en la voz y los oídos de su producto, y por lo tanto de su comunidad. Debe identificar riesgos y oportunidades. Y sobre todo, debe velar por la reputación de su producto, marca o compañía a través de las oportunidades que pueda conseguir o le sean ofrecidas.

Figura 2.2. Los profesionales españoles de los Social Media se agrupan en la Asociación Española de Responsables de Comunidad.

El interés de las compañías por la labor del Community Manager es muy reciente y fundamentalmente viene dado por un hecho revolucionario que les preocupa y que desean controlar: sus marcas les pertenecen cada vez menos y están pasando a ser propiedad de sus usuarios cada vez más.

> Aunque a veces se disimule detrás de una estrategia más centrada por ejemplo en la reputación online o el branding, la labor del Community Manager lleva implícita la utilización de los Social Media con objetivos puramente comerciales.

Realmente la figura inicial del Community Manager necesariamente tiene que ir dando paso a la división en distintos puestos profesionales con perfiles mucho más especializados. Esto no es nuevo, lo hemos visto en los últimos años, sin casi darnos cuenta, con la evolución del Webmaster, una palabra cada vez más en desuso. Posiblemente el Community Manager pasará a tomar una posición más ejecutiva, más estratégica. Se pasará de ser Jefe de Producto 2.0 a convertirse en Director de algo muy rimbombante, y su figura dentro de la empresa será ocupada por varios profesionales dedicados a la producción de contenidos, a la analítica Web, a la reputación online o incluso a la moderación de conversaciones, que posiblemente estén bajo su supervisión. De hecho eso ya está ocurriendo y no creo que pase mucho tiempo antes de que comience a ser tónica general.

En cualquier caso esto no viene más que a certificar que la gestión de los Social Media no tiene tanto que ver con una figura determinada, como puede ser la del Community Manager, sino que más bien trata de establecer una serie de nuevas funciones que van a ser imprescindibles a través de las oportunidades que las nuevas herramientas y los nuevos conceptos tecnológicos van a ofrecer a este negocio. De ahí que se comience a hablar de Community Managament, un concepto global, más que de la figura del Community Manager, un concepto individual.

> Ya se comienza a hablar de Community Managament, un concepto global, más que de la figura del Community Manager, un concepto individual.

¿QUÉ ES UN COMMUNITY MANAGER? ¿QUÉ NO ES?

Muy básicamente un Community Manager es un profesional que debe convertirse en la voz y los oídos de su producto, y por tanto de su comunidad. Debe identificar riesgos y oportunidades, y sobre todo, debe velar por la reputación online de su producto, marca o compañía a través de las oportunidades que le ofrezcan las plataformas Social Media más adecuadas para ello. ¿Bonito verdad?

> El Community Manager es un profesional que va cobrando especial relevancia a medida que las compañías y marcas adoptan los Social Media como parte de su día a día.

¿Qué es un Community Manager?

Si se revisan los artículos publicados en muchos de los *blogs* que hablan a diario sobre Social Media, la tónica es referirse a un Community Manager como "al ser superior". No faltan foros y conversaciones aludiendo al "Decálogo de las funciones que debe dominar un Community Manager" o a "Las 15 habilidades personales que todo Community Manager debe tener". Si hiciésemos caso a muchos de estos artículos la gran mayoría de nosotros decidiríamos dedicarnos a otra cosa. Frases como "debe ser un profesional con importantes habilidades sociales, resolutivo, agitador, asertivo, conciliador, conector, transparente, incentivador, *"always on"*, *"early adopter"*, bla, bla, bla" dejan a cualquiera a la altura del betún.

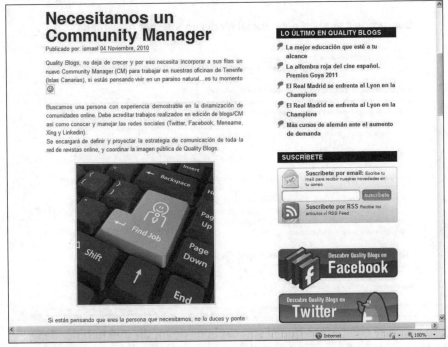

Figura 2.3. No faltan artículos en blogs aludiendo a perfiles de Community Managers.

¿Es para tanto? Sinceramente no. Nadie dispone de habilidades personales a nivel de un primer ministro, ni es un estratega social a la altura de un embajador, ni es exitoso en su estrategia a nivel de un analista bursátil. A ningún otro profesional se le obliga a responder a tal número de capacidades, habilidades y competencias. Por tanto, si vamos por ahí, el concepto de Community Manager que circula por Internet es cuando menos inviable.

Es más, es ilógico intentar atribuir a la figura de un único profesional las capacidades para gestionar todas las competencias y habilidades que requiere la comunicación online actual. No existe Superman 2.0 ni Social Batman que lo resista, vamos a ser justos. Posiblemente esta exageración de requisitos tenga que ver con la desinformación que rodea a los Social Media y con intentar ocultarla volcándose en crear un perfil profesional imposible que solucione todos los inconvenientes y que sea responsable final de un hipotético fracaso. Pues mal empezamos.

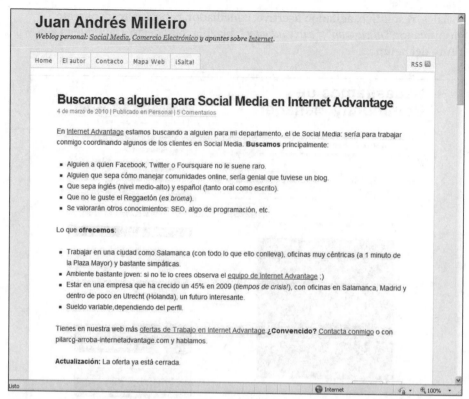

Figura 2.4. Hay compañías que sí son capaces de medir qué habilidades debe tener y de qué competencias debe responsabilizarse un perfil Social Media.

La Asociación Española de Responsables de Comunidad (AERCO) define las funciones y habilidades de un Community Manager basándolas en tres tipos de perfiles, el Community Manager Junior, el Community Manager Senior y el Social Media Manager, un modo mucho más segmentado y lógico de definir y concretar los niveles de competencias y responsabilidades.

Básicamente la labor de Community Manager se puede realizar desde tres perfiles básicos según sus responsabilidades:

▶ Community Manager Junior.

▶ Community Manager Senior.

▶ Social Media Manager.

De este modo un resumen básico de funciones y habilidades de cada uno de los perfiles sería el siguiente:

Tabla 2.1. Funciones desempeñadas por los diferentes perfiles de Community Manager.

PERFILES DEL COMMUNITY MANAGER	FUNCIONES MÁS DESTACADAS
Junior	Representar la presencia online del producto, marca o empresa.
	Adquirir conocimiento sectorial dependiendo del producto, marca o empresa.
	Gestionar las acciones de comunicación, promoción y marketing.
	Participar activamente en conversaciones online y debates.
	Comunicar y atender a los usuarios de grupos, comunidades, foros, etc.
	Ofrecer soporte a la comunicación externa.
	Monitorizar conversaciones online.
	Establecer métricas y crear informes, incluyendo recomendaciones.
	Identificar a líderes de opinión y establecer una relación constructiva con ellos.
	Mantener contacto con el resto de profesionales del sector.
	Crear contenidos apropiados para las plataformas sociales.
	Comunicar de una manera adecuada el uso del producto o servicio.
Senior	Representar la presencia online del producto, marca o empresa.
	Adquirir conocimiento sectorial dependiendo del producto, marca o empresa.
	Gestionar las acciones de comunicación, promoción y marketing desarrolladas por el Community Manager Senior.
	Participar activamente en conversaciones online y debates.
	Comunicar y atender a los usuarios de grupos, comunidades, foros, etc.
	Ofrecer soporte a la comunicación externa.

PERFILES DEL COMMUNITY MANAGER	FUNCIONES MÁS DESTACADAS
	Monitorizar conversaciones online.
	Establecer métricas y crear informes, incluyendo recomendaciones.
	Identificar a líderes de opinión y establecer una relación constructiva con ellos.
	Mantener contacto con el resto de profesionales del sector.
	Crear contenidos apropiados para las plataformas sociales.
	Comunicar de una manera adecuada el uso del producto o servicio.
	Asistencia a eventos para conseguir conocimiento y actualización.
	Participar en el diseño del plan de crisis online.
	Aplicar el plan de crisis.
Social Media Manager	Diseño de estrategia de presencia online de la marca.
	Recibir informes de analistas y Community Managers y transmitir opiniones.
	Planificar campañas Social Media.
	Planificar objetivos medibles.
	Diseñar el Plan de Comunicación Social Media y Plan de Crisis (junto a Comunicación y el resto de Community Managers).
	Gestionar proveedores externos de investigación, contenidos y métrica.
	Diseñar el uso de los indicadores para Social Media.
	Establecer los indicadores para cada plataforma Social Media en uso.
	Establecer los parámetros a medir en los sitios corporativos interconectados con los Social Media.

Tabla 2.2. Habilidades más destacadas de los diferentes perfiles de Community Manager.

PERFILES DEL COMMUNITY MANAGER	HABILIDADES MÁS DESTACADAS
Junior	Comunicador, empático y proactivo.
	Capacidad de escucha y comprensión.
	Capacidad de redacción de contenidos.
	Usuario activo de *blogs* y Social Media.
	Conocedor del lenguaje utilizado en los Social Media.
	Capacidad de aprendizaje.
	Creativo en la dinamización de la comunidad.
	Capacidad de detectar usuarios insatisfechos y críticas.
	Crítico a la hora de juzgar la fiabilidad de las fuentes.
	Dominio de SEO en contenidos.
	Conocimientos de SEO técnico.
	Conocimientos en analítica social.
	Conocimientos en marketing online.
	Conocimientos funcionales de herramientas online y gestión de documentos.
Senior	Comunicador, empático y proactivo.
	Capacidad de escucha y comprensión.
	Capacidad de redacción de contenidos.
	Usuario activo de *blogs* y Social Media.
	Conocedor del lenguaje utilizado en los Social Media.
	Capacidad de aprendizaje.
	Creativo en la dinamización de la comunidad.
	Capacidad de detectar usuarios insatisfechos y críticas.
	Crítico a la hora de juzgar la fiabilidad de las fuentes.
	Dominio de SEO en contenidos.
	Conocimientos funcionales de SEO técnico.

PERFILES DEL COMMUNITY MANAGER	HABILIDADES MÁS DESTACADAS
	Conocimientos en analítica social.
	Conocimientos en marketing online.
	Conocimientos funcionales de herramientas online y gestión de documentos.
	Capacidad para el análisis.
	Capacidad de reacción ante crisis.
	Analítico con las críticas y su volumen para convertirlas en cuestiones a solucionar.
	Capacidad de liderazgo 360°.
Social Media Manager	Especialmente proactivo.
	Cercano a la estrategia de comunicacion de la empresa.
	Fuertes conocimientos de branding.
	Capacidad de organización de equipos.
	Adaptación al medio.
	Capacidad para implicar y hacer colaborar a distintos departamentos de la empresa.
	Conocimientos de atención al cliente, RRHH y RRPP.
	Gran capacidad para el análisis.
	Experiencia en gestión de departamentos online o similares.
	Capacidad de tratamiento y procesado de datos.
	Conocimientos estadísticos.

¿Qué no es un Community Manager?

Si ya resulta muy complicado conseguir evangelizar al Departamento de Comunicación de una empresa cualquiera para que termine comprendiendo y admitiendo la importancia de la gestión de su red social, el siguiente paso, el de dotar la acción de contenido, de personal, de responsabilidad,... eso es ya una labor imposible.

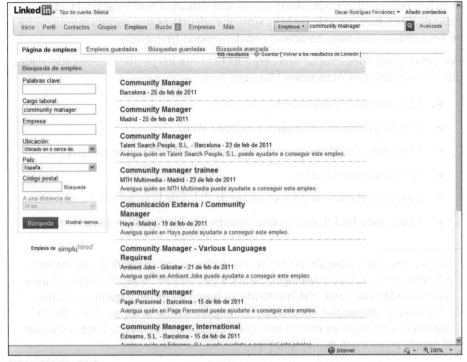

Figura 2.5. La profesión de Community Manager es cada día más demandada pero existe un gran desconocimiento sobre el perfil que debe cumplir un candidato.

Imaginemos la escena. Reunión del Departamento de Comunicación y Marketing con la propuesta en el orden del día de "solucionar de una vez lo del *blog* y lo de las redes sociales ésas". Todos los asistentes opinan sobre la mejor forma de resolverlo, fundamentalmente de "quitarse ese marrón", y tras divagar y divagar se toma la decisión: será Juanjito, el chaval de informática, que es un tío muy espabilado y sabe de estas cosas, el que, entre backups y fotocopias, mejore la imagen del *blog*, cambie las fotos más a menudo y se preocupe un poco más de actualizar el estado en Facebook.

Ahh! y que no se le olvide publicar alguna chorrada de vez en cuando en Twitter, que también tenemos de eso. Solucionado, ya tenemos Community Manager.

Según palabras de Rafael López, delegado de la AERCO la tarea de Community Manager "requiere una formación específica y técnica que no se puede encomendar a un becario".

Tras leer esto alguien podrá decir que es una situación muy exagerada, casi ridícula. Pues bien, no sólo no lo es sino que además es una escena que se repite en pequeñas y medianas empresas con demasiada frecuencia.

Por eso conviene desarrollar una pequeña lista con los perfiles menos adecuados para convertirse en Community Manager. Son:

- ► El de marketing que escribe en un *blog*.
- ► El informático que actualiza la página Web.
- ► El creativo que tiene un perfil en Facebook y más de 100 amigos.
- ► El Webmaster de antes.
- ► La secretaria que mantiene la base de datos de la empresa.
- ► El que hace las fotocopias que tiene mucho tiempo libre para twitear.

Se ha comenzado a seguir una tendencia dentro de las compañías con respecto a la labor de Community Manager. Se trata de "reciclar" a algún empleado para que desarrolle esa tarea. Habitualmente se busca un recién llegado o cercano a las nuevas tecnologías, un gran error. Responsabilizarse de las tareas de un Community Manager es mucho más que twitear con posibles clientes o cambiar el estado en un muro de Facebook.

Pues no, ninguno de ellos puede ser ahora el Community Manager de una empresa, por pequeña que sea. Posiblemente en el futuro sí, si se preparan convenientemente, claro.

¿CUÁLES SON LAS TAREAS DE LAS QUE SE ENCARGA UN COMMUNITY MANAGER?

Como ya hemos comentado anteriormente, debemos asumir que a día de hoy la profesión de Community Manager no es precisamente una de las más consolidadas, más bien es una labor aún en plena definición, lo cual trae como consecuencia que tenga un carácter completamente evolutivo.

En cualquier caso sí se puede afirmar que existen unas bases sobre las que un Community Manager debe trabajar, un modelo que sirve para reconocer las tareas y las responsabilidades básicas para afrontar cada jornada de trabajo.

Hasta el momento hemos comentado y definido las responsabilidades de un Community Manager por lo que llega el momento de hablar de las funciones o tareas.

Básicamente, la lista siguiente puede ofrecer un resumen claro de las tareas más comunes a las que se debe enfrentar un Community Manager para alcanzar con éxito sus responsabilidades. Son éstas:

▸ **Escuchar**. Es la función clave para una buena investigación y monitorización. Para ello es necesario buscar conversaciones sobre la empresa o producto, competidores, personas, mercado, en fin cuanta más información, mejor será la escucha. No hay límites.

▸ **Extraer**. A raíz de la escucha, extraer lo relevante y desarrollar un informe de situación. Ésta es una labor muy importante, que en muchas ocasiones queda relegada a un segundo plano, pero que es básica dentro de la estrategia.

▸ **Transmitir**. Hacer llegar la información, con el informe de situación extraído de la investigación, a clientes o departamentos internos. De este modo el Community Manager pasa a ser uno más en el organigrama de la empresa, de modo que todos los departamentos colaboren en la estrategia.

▸ **Explicar**. Transmitir adecuadamente la estrategia de comunicación de la campaña en los Social Media. De este modo el Community Manager se convierte en la voz de la campaña hacia los usuarios adaptando el mensaje propuesto en la estrategia.

▸ **Conversar**. Hablar y responder activamente en todas las plataformas sociales en que se haga mención a la campaña.

▸ **Compartir**. Seleccionar contenidos de interés para la comunidad y hacerlos llegar a los usuarios.

▸ **Conectar**. Buscar líderes, tanto interna como externamente, para crear una relación entre la comunidad y la campaña sustentada en su labor.

▸ **Colaborar**. Encontrar vías de cooperación entre la comunidad y la campaña.

▸ **Analizar**. Medir, cualificar y cuantificar todos los detalles que sean importantes para la campaña.

Permitiéndome una pequeña licencia, se puede afirmar que a día de hoy el Community Manager es un "obrero del método prueba-error". Básicamente se puede decir que un profesional de los Social Media con alto nivel de implicación vive de sus errores. Aprender de los errores significa acumular experiencia, tener en memoria una experiencia errónea con el fin de no cometerla de nuevo.

¿En qué se basa el método prueba-error? Muy fácil, mediante ese sistema se ofrece una solución a cierto problema y se prueba en el sistema que se analiza. Si la solución es cercana al objetivo que se desea conseguir, el problema está resuelto. En caso contrario se debe plantear otra solución y volver al principio, hasta que se consigue resolver el problema. Por ejemplo, imaginemos un Community Manager intentando crear una relación con una persona influyente, con un líder de opinión. Después de intentarlo a través de varias plataformas a través de un mensaje personal, fracasa. Aprendiendo de esa experiencia, decide modificar la acción e intentar llegar a la persona a través, por ejemplo, de un contacto común en LinkedIn y lo consigue. Prueba superada y error solventado. El Community ha aprendido, a través de la experiencia, que a determinados líderes de opinión no va a poder llegar a través de mensajes directos y que va a poder hacerlo de manera más directa a través de contactos comunes que le recomienden.

Figura 2.6. Es preciso hablar y responder activamente en todas las plataformas sociales en que se haga mención a la compañía.

CÓMO DEFENDER LA UTILIZACIÓN DE UNA PARTIDA ECONÓMICA EN SOCIAL MEDIA

Se dice que la mejor defensa es un buen ataque, y parece que a la hora de defender partidas económicas la frase toma aún más protagonismo. Si a eso le sumamos el término Social Media, se presupone que el ataque va a tener que ser feroz.

Del mismo modo que los Social Media siguen creciendo a un ritmo imparable, no faltan los escépticos que sólo ven en ellos beneficios cuestionables y peligros insalvables.

Son muchos los que opinan en contra de ellos, fundamentalmente las pequeñas y medianas empresas que tienden a verlos con gran temor.

Básicamente las razones por las que a los Social Media todavía se les mira con cierto recelo son dos: el siempre presente pánico a lo desconocido y la desconfianza ante el éxito de las campañas sociales.

Luego hay algunos otros como la preocupación sobre el tratamiento de los datos informáticos e incluso el miedo a perder el control sobre la información.

Concienciar y convencer a empresarios y directivos acerca de las bondades de la utilización de los Social Media y de los beneficios que pueden aportar a su marca o compañía es una de las tareas más complicadas a la que se tiene que enfrentar un Community Manager. Da igual el tipo de empresa a la que se dirija o en la que intente desarrollar su labor.

Figura 2.7. Existen importantes casos de éxito que pueden servir de ejemplo para defender los beneficios de la utilización de los Social Media.

Visto lo visto, está claro que los casos de éxito con respecto a la Social Media, no terminan de convencer a los escépticos, que son demasiados. Por eso dentro de nuestra tarea está siempre la de evangelizar sobre las maravillas de los Social Media y tratar de convencer a los más desconfiados. Es una labor complicada que precisa de muchas dosis de cercanía e información, mucha predisposición y toneladas de información (a poder ser, datos contundentes muy personalizados).

Es cierto que todavía no existe un modelo que se repita con constancia como exitoso, y puede ser que no lo haya nunca, pero el éxito en los Social Media tiende a transmitirse como un "caso de suerte" en vez de como un caso de éxito, algo muy curioso.

Muchos expertos consideran que para que los más escépticos terminen confiando en las virtudes de los Social Media, es necesario que exista una intención de convencer de manera más próxima y personal. Tal vez la fórmula pase ser Community Manager por la mañana y convertirse en "Orientador Social Media" por la tarde, quien sabe. Lo que sí sabemos es que, de algún modo, es necesario mostrar al escéptico un camino claro y directo por el que su marca, empresa o producto va a conectar con éxito con su público objetivo, mostrar con hechos los que los Social Media son capaces de hacer por ellos.

En un reciente estudio del portal `Unternehmer.de` se indicaban algunas razones simples con las que convencer a profesionales de marcas o compañías escépticas con respecto a los beneficios de los Social Media y su adopción. Analizando cada una de ellas, parece interesante nombrarlas, dado que pueden resultar de ayuda, tanto para quien tiene como objetivo evangelizar sobre sus beneficios como para quien debe defender una inversión. Son los siguientes.

▶ **Beneficia a la imagen.**

Aporta aire fresco especial y una serie de valores como comunidad, cercanía, transparencia, etc., que son muy beneficiosos para la imagen de la empresa y difíciles de conseguir de otro modo.

▶ **Asegura repercusión.**

A día de hoy nadie piensa en un plan de marketing sin una partida específica para medios online. Los Social Media complementan la estrategia de un sitio Web corporativo e incluso refuerzan la presencia de la marca y su exposición y visibilidad en otros sitios, como buscadores.

▶ **Garantiza innovación.**

La visibilidad de una marca o compañía en los Social Media siempre genera nuevas oportunidades ya que ofrece nuevas posibilidades para el branding.

▶ **Facilita la anticipación a posibles crisis.**

Los Social Media son el vehículo ideal para conocer de primera mano lo que se dice de nuestra marca o compañía. Gracias a la monitorización de la conversación se pueden anticipar potenciales crisis, actuar en consecuencia y poner medidas de inmediato.

▶ **Fortalece la competitividad.**

Gracias a los Social Media se está en constante contacto con usuarios y público objetivo que expresan sus gustos, necesidades, deseos, opiniones. Son el vehículo ideal para modificar y renovar productos y servicios y de ese modo mejorar la competitividad.

▶ **Promueve la fidelización.**

Los Social Media pueden ser un buen camino para crear vínculos emocionales, no sólo con los clientes sino también con los empleados.

Ahora bien, hay que tener mucho cuidado con lo que se promete. El entusiasmo lleva a veces a garantizar resultados que no se tiene la seguridad de que se van a cumplir y esto es algo que comienza a ser demasiado habitual.

Más aún cuando convivimos diariamente con la falta de sistemas de medición universales debido a la novedad de los soportes y las plataformas y su constante evolución lo que hace que difícilmente podamos demostrar que se han cumplido determinados objetivos.

Es el momento de ser humildes. Debemos transmitir que se pueden obtener mejores o peores resultados, pero en ningún caso prometer objetivos cualitativos y cuantitativos que va a ser difíciles tanto de conseguir como de demostrar.

Estamos en un momento en el que debemos transmitir que se pueden obtener mejores o peores resultados en Social Media, pero en ningún caso prometer objetivos cualitativos y cuantitativos que va a ser difíciles tanto de conseguir como de demostrar.

En caso contrario, el efecto negativo que generará en el cliente el sentirse engañado conlleva una desconfianza global en contra de los Social Media y sus posibilidades.

Como dice el refranero español, "para presumir hay que sufrir". Por tanto sería muy conveniente avisar, hacer unas aclaraciones previas sobre las posibles dificultades que nos podemos encontrar, son realidades que un escéptico también debe oír de nuestra boca. Son éstas:

Figura 2.8. Si una pequeña heladería de San Francisco ha conseguido unir a más de 300.000 personas, bajo una estrategia adecuada cualquiera puede hacerlo.

► **Se requiere compromiso.**

Las campañas Social Media funcionan si se consigue una audiencia objetiva y se cultiva manteniendo su interés durante tiempo.

► **Se obtendrán críticas.**

Ésta es una dificultad momentánea que hay que convertir en una ventaja y que con toda seguridad se va a presentar. Es de las pocas cosas seguras.

► **La comunicación será transparente.**

Cualquiera va a poder ver lo que dice la empresa y lo que se dice de ella, cualquiera. No hay nada que se pueda ocultar.

► **El ROI no suele ser rápido.**

Habitualmente las campañas Social Media son proyectos a medio plazo. No se consiguen retornos de la inversión, por pequeños que sean, hasta que no se ha establecido convenientemente el plan, y eso lleva tiempo. Participar en los Social Media debe considerarse un esfuerzo de marketing a medio-largo plazo.

▶ **La viralidad no se consigue de un día para otro.**

Si alguien cree que porque su empresa publique algo gracioso en su Facebook la van a llover los clientes, que comience a leer este libro desde el principio.

Figura 2.9. A pesar de lo que muchos venden, la viralidad no se consigue de un día para otro.

APTITUDES Y ACTITUDES DEL COMMUNITY MANAGER

Durante mis primeros años de carrera profesional tuve un jefe que siempre comentaba que lo difícil a la hora de reclutar profesionales es encontrar en ellos la unión perfecta de las dos "tudes": la Aptitud y Actitud. Sabio comentario.

Si vamos al Diccionario de la Lengua Española encontraremos que los términos actitud y aptitud se definen del siguiente modo:

▶ **Aptitud:** Capacidad para operar competentemente en una determinada actividad.

▶ **Actitud:** Disposición de ánimo manifestada de algún modo.

Pues bien, llevándolos al terreno del Community Manager resulta fácil plantear algunas "capacidades" y "disposiciones" comunes que podrían resultar de gran ayuda para desempeñar esta labor.

Lógicamente no existe Superman 2.0 que disponga de todas estas cualidades, pero son valores que conviene indicar para establecer un perfil del profesional 100 por cien Community Manager.

- ▶ **Aptitudes:**

  - ▶ Base. Lo ideal es que tenga un perfil cercano al mundo de comunicación y que, por lo tanto, no tenga problemas a la hora de dominar el lenguaje. Debe escribir bien y tener conocimientos de comunicación online.

  - ▶ Comunicación. Es básico que sea un buen comunicador, de modo que tenga capacidad para transmitir ideas.

  - ▶ Venta. Es recomendable que posea nociones de marketing y publicidad.

  - ▶ Internet. La necesidad de trabajar en el entorno Web hace que deba manejar con soltura aplicaciones y herramientas online y offline.

  - ▶ Prestigio. Se riza el rizo si es una persona conocida en los Social Media, con contactos profesionales tanto online como offline.

- ▶ **Actitudes:**

  - ▶ Activo. Una de sus tareas principales será la de incentivar la participación, por lo tanto es importante que sea una persona ágil y resolutiva acostumbrada a escuchar.

  - ▶ Empático. Capaz de ponerse en el lugar de los demás. De algún modo, va a representar a la marca o producto, pero no olvidemos que el usuario debe sentir que está cerca y de su parte.

  - ▶ Informado. Debe conocer qué temas interesan a la audiencia y detectar nuevas tendencias.

  - ▶ Actualizado. Es ideal que sea un profesional muy cercano a las nuevas tecnologías y que conozca el mundo de los nuevos *gadgets* y dispositivos.

  - ▶ Conectado. Es obvio, pero debe ser una persona habituada a estar en conexión permanente con la comunidad.

  - ▶ Comprometido. Con la causa de los Social Media, su divulgación y su evangelización.

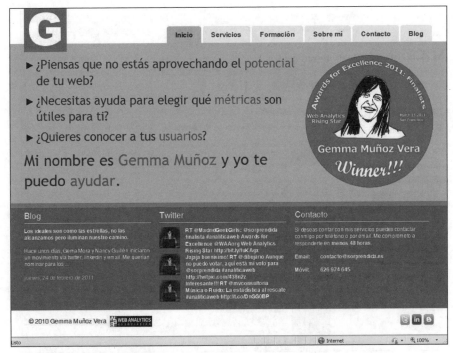

Figura 2.10. El prestigio es clave a la hora de acceder a proyectos de responsabilidad en los Social Media.

¿QUÉ PUEDE HACER UN COMMUNITY MANAGER POR UNA COMPAÑÍA, MARCA O PRODUCTO?

Cuando el pasado 29 de Noviembre de 2010 el F.C Barcelona derrotó al Real Madrid por 5-0, su entrenador, el Community Manager del vestuario, apareció en rueda de prensa y dijo: "Hemos de tener la humildad para que el tiempo juzgue a este equipo. La inmediatez de la crítica no sirve. (...) Ahora es muy fácil decir qué buenos somos nosotros y qué malos son ellos, debemos dejar que sea el tiempo el que decida. (...) Tenemos metido en la cabeza no traicionar a aquellos que nos enseñaron hace tiempo cómo jugar de una manera. Estoy orgulloso de ello."

Escuchando a Pep Guardiola creí ver en acción a un Community Manager de un equipo, a un Social Media Manager del fútbol. Su "campaña" había terminado. Era el momento de agradecer a su equipo de trabajo lo que había hecho y de concienciar a la "empresa" de que la "estrategia" había sido un éxito, pero también de recordar que posiblemente el resultado hoy haya sido bueno pero mañana puede ser malo y es injusto valorarlo a corto plazo. Todo un curso de Community Management en poco menos de un minuto.

Figura 2.11. Como ya están haciendo muchas pequeñas empresas, disponer de una estrategia que aproveche la oportunidad de llegar al usuario es clave para el éxito.

Pues bien, cualquiera que haya seguido las idas, y sobre todo las venidas, del mundo de las nuevas tecnologías e Internet sabe que adaptarse a sus continuos retos y aprovechar sus avances nos obliga a un proceso de cambio constante, exagerando yo diría que casi diario. Algo muy parecido al fútbol.

Por ello un Community Manager y los Social Media pueden ofrecer algo que la gran mayoría de las empresas no aprovechan: un canal de relación fácil de usar que puede llegar a su público objetivo de un modo bidireccional, como hasta ahora no había ocurrido antes. Dar entrada a un Community Manager en un proyecto o en una empresa es disponer de un estratega que va a aprovechar las mejores oportunidades disponibles de llegar al usuario y de que el usuario llegue a nosotros. De este modo, un Community Manager puede aportar a una empresa:

▶ Que disponga de una vez de una estrategia de comunicación para los Social Media.

▶ Que obtenga mayor visibilidad.

▶ Que conecte con nuevas audiencias.

Figura 2.12. Disponer de un Community Manager puede facilitar que el producto tenga una visibilidad que de otro modo sería imposible.

▶ Que la compañía se humanice algo más.

▶ Que los empleados se encuentren más comprometidos.

▶ Que la compañía comience a ofrecer contenido que hasta ahora nadie conocía.

▶ Que obtenga mayor relevancia de la que tenía.

▶ Que pueda interactuar con su público objetivo.

▶ Que pueda conocer las necesidades y demandas de su público objetivo.

▶ Que llegue a conocer mucho mejor a su cliente o al que puede llegar a serlo.

▶ Que disponga de una campaña de marketing de rentabilidad superior a la de marketing tradicional.

▶ Que de una vez por todas se convierta en una compañía transparente.

▶ Que mejore la reputación de la compañía.

▶ Que consiga un aumento en las ventas a largo plazo.

Figura 2.13. Aunque parezca extraño un Community Manager puede mejorar la reputación de una compañía.

EL DÍA A DÍA DE UN COMMUNITY MANAGER

Como buen Product Manager 2.0, el día a día de un Community Manager termina siendo, cuando menos, intenso y agitado. Desde que uno se levanta hasta bien entrada la noche hay muchas tareas que llevar a cabo y muchas responsabilidades que asumir.

Pero no cabe duda que para conseguir que la jornada sea satisfactoria lo ideal es utilizar la mejor arma de que dispone un profesional: el sentido común.

Pues bien, bajo esta idea, la del sentido común, se plantea cómo podría ser una jornada "complicada" de un Community Manager.

- ▶ **8:30 de la mañana.**
  - ▶ Revisar la prensa para ponerse al día de las noticias generales.
  - ▶ Detectar posibles temas de interés especial para el usuario.

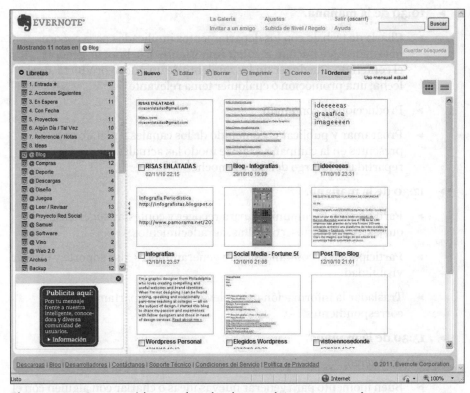

Figura 2.14. Con sentido común y las herramientas necesarias es más sencillo completar las tareas del día a día.

▶ **9 de la mañana.**

   ▶ Consultar los contenidos de Internet (RSS, *Blogs*, *Newsletter*, Sitios Web) de interés para el proyecto Social Media o con temática que aluda a nuestras necesidades.

   ▶ Consultar Facebook y Twitter, conversaciones, usuarios y contenido de interés para el proyecto Social Media o con temática que aluda a nuestras necesidades.

   ▶ Detectar noticias, sitios, artículos o personas de relevancia para comentar y recomendar.

▶ **10 de la mañana.**

   ▶ Lectura y contestación del correo.

   ▶ Participar en debates y conversaciones sobre la campaña en sitios Web, *blogs*, grupos, etc.

- **10:30 de la mañana.**

  - Charla de trabajo con los departamentos implicados para conocer novedades que puedan resultar importantes a la hora de generar el contenido. Puede ser un lanzamiento de un nuevo producto, una fecha, una promoción o cualquier tema relevante.

  - Producción de contenido.

  - Programar y publicar el contenido de los canales y plataformas presentes en la campaña. De este modo las actualizaciones estarán repartidas a lo largo del día y la noche.

- **12:30 de la mañana.**

  - Participar en la comunidad para recoger y contestar sugerencias, quejas, comentarios, consultas, agradecimientos.

  - Participar en la comunidad para generar interés, dar soporte y ofrecer visibilidad.

  - Trasladar la información más relevante a los departamentos correspondientes.

- **13:30 de la mañana.**

  - Almuerzo.

  - Buen momento para generar nuevas ideas o charlar con alguien con el que contrastar opiniones.

- **15 de la tarde.**

  - Revisar la participación en los canales y plataformas para saber qué ha ocurrido durante la mañana con respecto a la campaña.

  - Participar en la comunidad para recoger y contestar sugerencias, quejas, comentarios, consultas, agradecimientos.

- **16:30 de la tarde.**

  - Lectura y contestación del correo.

  - Participar en la comunidad para recoger y contestar sugerencias, quejas, comentarios, consultas, agradecimientos.

- **17:30 de la tarde.**

  - Reunión con los departamentos implicados para hacer un repaso de la jornada y plantear posibles nuevas estrategias.

  - Gestión y coordinación de la estrategia para el día siguiente.

Tampoco hay que olvidar que las tareas diarias de un Community Manager pueden y deben ser complementadas con labores semanales de control y seguimiento, a las que hay que buscar un hueco en la agenda. Esto es fundamental para que se puedan cumplir los objetivos.

Básicamente son estas:

► Afianzar el contacto con los miembros más destacados de la comunidad.

► Elaborar informes para el control de contenidos y detectar información de interés.

► Analizar y realizar pruebas.

► Monitorizar y analizar todo lo posible.

► Supervisar la comunicación y los usuarios de las plataformas para moderarlas.

► Eliminar *spam*.

LAS RESPONSABILIDADES DEL COMMUNITY MANAGER

Puestos a dejar de lado el día a día, es decir las tareas puras y duras, llegamos al momento de darle un contenido más estratégico a la función del Community Manager. Más orientado a la coordinación de los distintos departamentos y profesionales implicados, un Community Manager debe ser conocedor de las dinámicas de la compañía, marca o producto.

Las responsabilidades de un Community Manager tienen que ver en gran medida con la comunidad a la que se va a dirigir, el objetivo, la estrategia y la tecnología a utilizar durante la campaña.

Para reconocer y establecer estas variables hay un método muy básico y muy recomendable, que además resulta sencillo de recordar, que ofrece una visión muy clara para establecer el punto de partida de sus responsabilidades.

Se trata del método **POST** y se desarrolla del siguiente modo:

► **P**eople: Conocer cuál es la comunidad (*people*) a la que se va a dirigir la compañía.

► **O**bjetives: Conocer cuáles son los objetivos (objetives) a lograr a la hora de comunicar bidireccionalmente.

► **S**trategy: Establecer una estrategia (*strategy*).

► **T**echnology: Establecer que tecnología (*technology*) se va a utilizar para lograr los objetivos.

Figura 2.15. Las responsabilidades de un Community Manager tienen que ver en gran medida con la comunidad a la que se va a dirigir.

Imaginemos, por ejemplo que el Community Manager debe tomar el control de una campaña referente a una marca de moda juvenil femenina. Entonces la *checklist* del método **POST** se podría completar del siguiente modo:

▶ **P**eople: Mujeres jóvenes, de entre 18 y 25 años.

▶ **O**bjetives: Abrir una nueva ventana de comunicación y participación en los Social Media para mostrar las ventajas diferenciales (diseño, vanguardia, frescura y exclusividad) de la marca con respecto a otras.

▶ **S**trategy: Compartir todo tipo de información relevante, promociones, descuentos, sorteos, concursos y regalos para acercar al público objetivo a las tiendas que la marca tiene en centros comerciales.

▶ **T**echnology: Sitio Web corporativo, *blog*, página corporativa en Facebook, cuenta corporativa en Twitter, cuenta en Flickr y canal en YouTube.

De este modo, una vez aclarados los parámetros básicos del punto de partida de la campaña estamos en disposición de contemplar las funciones del Community Manager. Podrían ser las siguientes:

► Enfocar sus esfuerzos a conseguir los objetivos marcados.

► Gestionar la comunicación de un modo adecuado.

► Monitorizar las principales plataformas Social Media.

► Desarrollar campañas específicas a cada plataforma que hagan crecer la comunidad.

► Analizar los datos medidos y monitorizados.

► Generar políticas de imagen de marca o corporativa.

► Gestionar eventualmente planes ante una crisis.

HERRAMIENTAS DE PRODUCTIVIDAD Y GESTIÓN

Si observamos con detenimiento una jornada de trabajo de un Community Manager nos daremos cuenta del gran número de labores que es necesario llevar a cabo y, sobre todo, que pocas de ellas son tareas rutinarias. Responder al correo electrónico, monitorizar Twitter, escribir un post, dar un vistazo a Analitycs o solucionar la duda de un usuario... no es "pecata minuta".

Figura 2.16. Una empresa puede disponer de varios canales de comunicación, por lo que la labor del Community Manager es a veces complicada.

Es un error habitual entre los más profanos ver la figura del Community Manager como la del chaval que actualiza el estado de Facebook y escribe en Twitter. Lo más injusto de este planteamiento es que, de las muchas tareas que se realizan en el día a día, el trabajo de actualización de las plataformas sociales es una mínima parte y siempre caen en olvido las de verdadero calado, véase las que tienen que ver con la analítica, la optimización, la estrategia, los informes, etc.

Por tanto el trabajo es mucho y la ayuda poca. Sin embargo podemos comenzar a solucionar esta dificultad apoyándonos en herramientas que por un lado impulsen nuestra productividad personal y por otro potencien la gestión de los Social Media. Con ellas podremos gestionar mejor nuestro día a día y optimizar recursos de cara a, por ejemplo, concentrar la gestión de nuestros perfiles sociales en unas aplicaciones. Esto facilita mucho la gestión y, sobre todo, favorece el análisis de los resultados derivados del impacto de nuestras acciones.

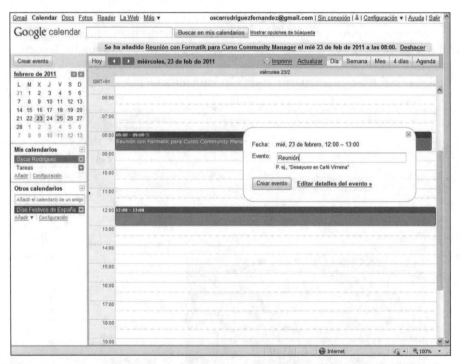

Figura 2.17. La utilización de las herramientas adecuadas permite ser más productivo a la hora de desarrollar tareas y responsabilidades.

Menos mal que, queramos o no, todo Community Manager está casi obligado a tener una fuerte inclinación *Geek*. Mantenerse al día sobre las novedades del mundo de la tecnología y la informática es clave para una labor que está muy unida a vanguardia y nuevos desarrollos.

Por tanto desarrollaremos un pequeño listado con aplicaciones online y software de escritorio que pueden ser útiles a la hora de optimizar el trabajo. Muchas de ellas son casi herramientas universales, conocidas por todos, y otras pueden ofrecer características que aporten nuevas productividades desconocidas.

Herramientas de productividad personal

▶ **Google Calendar (**`Google.com`**).**

La agenda online más potente con características Web 2.0.

▶ **Evernote (**`Evernote.com`**).**

La aplicación por excelencia para la organización de información personal online.

▶ **Google Docs (**`Google.com`**).**

El mejor modo de disponer de documentos ofimáticos online.

▶ **Delicious (**`Delicious.com`**).**

El más conocido y potente gestor de marcadores online.

Figura 2.18. La utilización de un gestor de marcadores online es básica para gestionar la información.

▶ **Google Reader (**`Google.com`**).**

El mejor agregador RSS online para disponer de múltiples canales de información.

▶ **DropBox (**`Dropbox.com`**).**

El servicio de alojamiento de archivos online más utilizado y versátil.

▶ **WrIdea (**`Wridea.com`**).**

Un lugar para volcar y guardar online ideas, pensamientos, listas, etc.

Herramientas de gestión general

Figura 2.19. Se pueden utilizar herramientas estándar para el desarrollo de pequeños blogs.

▶ **Bit.ly (**`Bit.ly`**).**

El acortador de URLs más utilizado del mundo.

▶ **Tumblr (**`Tumblr.com`**).**

La aplicación idónea para crear pequeños *blogs* de contenido vertical.

▶ **Alexa (**Alexa.com**).**

La plataforma más utilizada para ver estadísticas de audiencias.

Herramientas de administración de contenido

Figura 2.20. Es una buena opción disponer de un cliente para administrar múltiples perfiles y cuentas.

▶ **Hootsuite (**Hootsuite.com**).**

La aplicación más utilizada para administrar múltiples perfiles y cuentas.

▶ **SocialToo (**Socialtoo.com**).**

La herramienta más utilizada para automatizar el envío de contenido social.

▶ **TweetDeck (**Tweetdeck.com**).**

El cliente de escritorio más utilizado para disponer de las plataformas en una pantalla.

▶ **Ping.fm (**`Ping.fm`**).**

La aplicación más utilizada realizar actualizaciones simultáneas en 33 plataformas.

▶ **CoTweet (**`Cotweet.com`**).**

Una aplicación excelente a la hora de poder utilizar un perfil por varias personas a la vez.

Herramientas para plataformas sociales

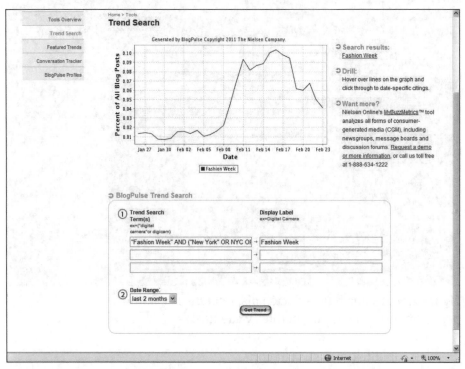

Figura 2.21. No debemos olvidar el seguimiento de la información aparecida en blogs y utilizar las herramientas adecuadas.

▶ **Social Mention (**`Social Mention.com`**).**

Un estándar para medir la cobertura, visibilidad e influencia en los Social Media.

▶ **BlogPulse (**`Blogpulse.com`**).**

La aplicación más utilizada para el seguimiento de contenidos en blogs.

▶ **TwitterGrader (`Twittergrader.com`).**

Una referencia a la hora de medir el nivel de influencia de un usuario.

▶ **Backtyp (`Backtyp.com`).**

La mejor aplicación para analizar y comparar sitios, personas y marcas.

▶ **Addict-o-matic (`Adicct-o-matic.com`).**

Para crear un panel personalizado con todo lo publicado sobre un término.

3. Tus principales labores

EL SOCIAL MEDIA PLAN

Uno de los principales riesgos al que debemos enfrentamos a la hora de comenzar un proyecto Social Media es el establecer convenientemente la amplitud de la mirada. Cuando me refiero a esto estoy queriendo poner hincapié en un error habitual en las estrategias Social Media que tiene mucho que ver con un término muy común en oftalmología: la presbicia.

La vista cansada, que es como habitualmente se denomina a la presbicia, se caracteriza por la dificultad de enfocar los objetos cercanos, es decir, una mala visión de cerca. Llevando este símil a los Social Media podríamos decir que es muy habitual que las compañías con cierta edad tiendan a enfocar mal los nuevos proyectos y lo hagan de una manera demasiado cercana y errónea. De este modo, no sólo no son capaces de analizar convenientemente los proyectos más ligados a su negocio sino que tienen dificultades para ver los nuevos proyectos en conjunto, de modo que se pierde la coherencia a la hora de desarrollar las acciones necesarias para conseguir los objetivos marcados. En otras palabras, se trabaja sin "gafas".

Pues bien, el Community Manager es la clave.

Es esa figura que puede realizar las veces de esas "gafas de cerca" que consigan corregir la visión y aportar un enfoque más nítido y global. ¿Y los cristales? Pues los cristales más adecuados para afrontar un proyecto Social Media son los graduados bajo el nombre de Plan Estratégico, también llamado Social Media Plan.

Figura 3.1. El Social Media Plan marca la estrategia de presencia en plataformas sociales o cualquier otro medio de participación social para una empresa, marca o producto.

¿Qué es el Social Media Plan? Básicamente podríamos definirlo como un documento que trata de establecer los cimientos de la construcción de una comunidad por parte de una compañía.

Su principal objeto es marcar una estrategia de presencia en plataformas sociales o cualquier otro medio de participación social que se favorezca el aprovechamiento de un nuevo canal de comunicación que puede aportar grandes beneficios.

Como cualquier otra estrategia empresarial un proyecto Social Media requiere de una ardua planificación previa, es lo que se denomina el Social Media Plan. En él se deben fijar objetivos, target, posicionamiento y estrategia, entre otros.

No es posible que a día de hoy alguien dude que el primer paso es realizar una definición clara del Social Media Plan y del plan estratégico para desarrollarlo.

Sin él, no vamos a poder ver más allá de nuestras narices y, es más, ni siquiera vamos a oír, que incluso podría ser peor. Luego vendrá la táctica, entendiendo por táctica el conjunto de acciones necesarias para acometer la estrategia, un modo de analizar esfuerzos personales y económicos, pero siempre después de la estrategia.

1. Definir los objetivos.

   ▶ El mejor modo para argumentar la razón por la que se quiere estar en los Social Media.

   ▶ Muy importante, los objetivos deben ser cuantitativos, cualitativos, reales, alcanzables y medibles.

   ▶ Por ejemplo. Generar tráfico hacia un *blog* corporativo.

2. Definir la situación.

   ▶ El mejor modo para saber lo que está ocurriendo alrededor de la empresa, producto o marca.

   ▶ Es un buen momento para aclarar dónde está y hacia dónde quiere ir. Es el momento de investigar.

   ▶ Por ejemplo. Dónde se habla sobre nuestro producto.

3. Definir el target.

   ▶ El mejor modo para saber a quién se va a dirigir la campaña.

   ▶ De algún modo se trata de determinar a quién vamos a dirigir la comunicación.

   ▶ Por ejemplo. Señores mayores de 60 años.

4. Definir un posicionamiento.

   ▶ El mejor modo para centrar el enfoque de la comunicación.

   ▶ Es la fórmula para que el mensaje sea bien percibido por el público objetivo.

   ▶ Por ejemplo. El marco de comportamiento de la comunicación.

5. Definir una estrategia.

   ▶ El mejor modo de ponerse en marcha y comenzar a trabajar.

   ▶ Con la información recopilada en los anteriores pasos ya podemos empezar a cumplir las etapas.

   ▶ Por ejemplo. Documento con los planes de investigación, definición, ejecución y medición.

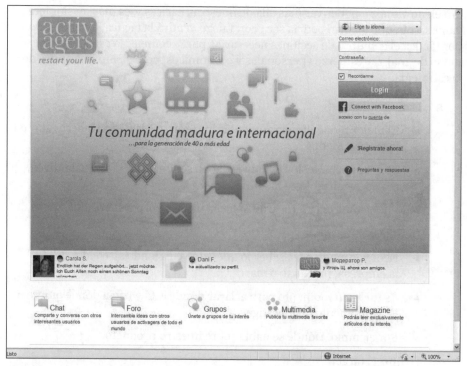

Figura 3.2. La definición del target es el mejor modo de determinar cómo y a quién vamos a dirigir la comunición.

LA IMPORTANCIA DE UNA INVESTIGACIÓN PREVIA DEL MERCADO

Es de dominio público que comienzan a ser muchos los que quieren subirse al tren de los Social Media. Comienza a haber una especie de prisa generalizada por coger el tren de Facebook y Twitter, lo cual está desembocando en que muchos cogen el tren pero no saben ni con qué fin ni con qué destino.

Según un estudio publicado por Meltwater Group los Social Media se están convirtiendo en un apartado clave dentro de los planes de marketing de las empresas de modo que el 52 por cien de las compañías consultadas contempla las plataformas sociales como parte esencial de sus actividades publicitarias y promocionales. Del mismo modo el 79 por cien considera que los Social Media han ocupado un lugar muy importante dentro del mundo del marketing e incluso el 52 por cien de los encuestados afirma sugerir a sus empleados que muestren entusiasmo por el nuevo fenómeno.

Los Social Media son como los teléfonos móviles, hace unos años muchos hubieran apostado que eran una moda pasajera pero vinieron para quedarse.

Figura 3.3. Los Social Media no son un fenómeno pasajero. Están aquí para quedarse, igual que lo hicieron los teléfonos móviles.

Sin embargo, y es lo más preocupante, en este estudio aparece una cifra clave. Sólo el 20 por cien de los encuestados afirma apostar por las tecnologías necesarias para el seguimiento y la monitorización de las plataformas Social Media, a pesar de que el 84 por cien admite considerar que la labor de análisis es muy importante. Es decir, la gran mayoría renuncia a las labores de investigación antes de comenzar un proyecto.

LA ESTRATEGIA DEL SOCIAL MEDIA PLAN

Para comenzar, una obviedad. Dar de alta un perfil en Facebook o comenzar a escribir un *blog* no es poner en macha un proyecto Social Media. Ni es suficiente, ni es lógico.

Todos los que de un modo u otro estamos relacionados directamente con la gestión de proyectos, ya sean de la naturaleza que sean, sabemos que cuando llevamos a cabo una acción alineada con el marketing, ésta suele formar parte de un plan en el que están contemplados una serie de análisis, estrategias, objetivos, acciones y mediciones.

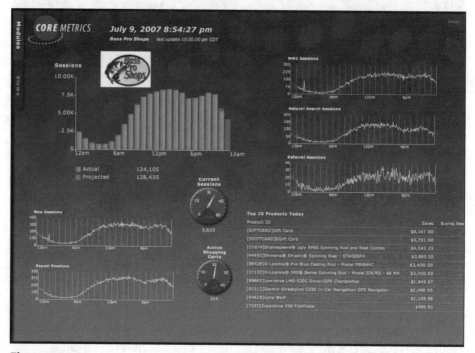

Figura 3.4. Para una correcta toma de decisiones es necesario analizar previamente. El proceso de investigación y la métrica son claves.

Sin embargo, en el caso de las acciones llevadas a cabo en medios sociales, siendo aún más necesario, no parece tan sencillo que las empresas lo lleven a cabo.

Como ejemplo un dato. Según un estudio publicado por la firma americana, Digital Brand Expressions, el 78 por cien de los profesionales entrevistados afirmó que su compañía estaba involucrada activamente en algún proyecto Social Media, pero sin embargo únicamente el 41 por cien de estos mismos admitió que la actividad se llevara a cabo bajo una estrategia de la compañía.

Si nos dejamos guiar por los datos anteriores, cerca del 60 por cien de las empresas que en la actualidad disponen de visibilidad en redes sociales lo hacen sin un plan definido previamente. Un dato, cuando menos preocupante y que hace tener que revisar el término clave en todo esto, estrategia.

El diccionario define el término "estrategia" como "el proceso regulable, conjunto de las reglas que aseguran una decisión óptima en cada momento". Pues bien, antes de comenzar a construir un plan estratégico, como ocurre en la gran mayoría de los proyectos profesionales, es necesario cumplir con unas etapas que llevan a identificar el cómo, cuándo y dónde dirigir los esfuerzos, es decir, definir una estrategia.

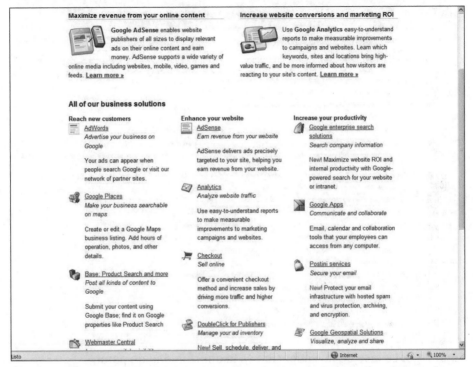

Figura 3.5. A día de hoy se disponen de todo tipo de herramientas para la investigación, definición y ejecución de la estrategia del Social Media Plan.

Pues bien, a continuación se indican los cuatros puntos clave y sus procesos más importantes en la estrategia de un plan Social Media: investigación, definición, ejecución y medición.

Investigación

Esta primera fase, la fase de investigación, es la que mayor problemática suscita cuando se comienza a plantear un proyecto Social Media. En muchas ocasiones tiende a ser un proceso que se evita, muchas veces por desconocimiento y otras muchas, la gran mayoría, porque resulta fácil rehuirlo sugiriendo falta de tiempo o de recursos. Gran descuido, tremendo error. Ningún entrenador profesional del fútbol juega sin portero, ningún profesional de la construcción levanta un edificio sin cimientos. Las bases sobre las que se sustenta un proyecto Social Media tienen mucho que ver con elementos base como defender una portería o atacar un edificio.

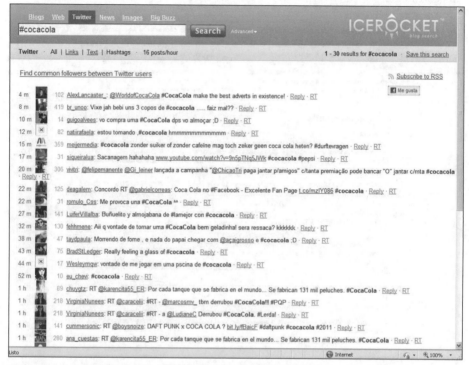

Figura 3.6. La fase de investigación es la oportunidad de parar, mirar y escuchar todo y a todos.

La fase de investigación es la oportunidad de parar, mirar y escuchar todo y a todos. Una vez hecho esto, con los datos en la mano, podremos comenzar a construir una estrategia social real y eficaz.

El resumen del proceso básico de investigación es el siguiente:

1. Reunir información sobre el perfil del público objetivo y las características de su uso social.

2. Seleccionar herramientas de monitorización según objeto y plataforma.

3. Monitorizar el diálogo del público objetivo y almacenar datos de cómo utilizan sus plataformas preferidas.

4. Recopilar datos concretos sobre la competencia y sus prácticas más habituales.

5. Monitorizar trabajos concretos de la competencia.

6. Trabajar sobre indicadores cualitativos y cuantitativos de la marca y la empresa.

7. Trabajar sobre los datos previos de la popularidad de la marca, la cuota de diálogo.

8. Medir la popularidad de la marca y la cuota de diálogo.

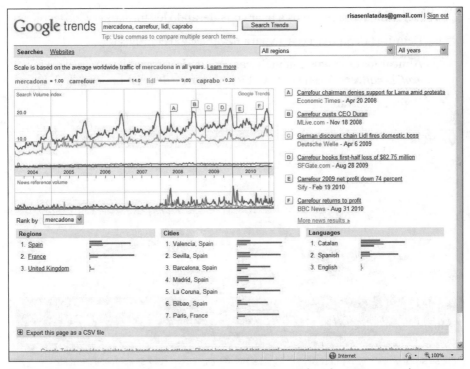

Figura 3.7. Es preciso recopilar datos concretos sobre la competencia y sus prácticas más habituales. Eso nos ayudará en nuestra propia estrategia.

Definición

Es uno de los procesos más importante y a la vez más complicados. La acción de definición debe indicar claramente cuales son los objetivos y alinearlos al máximo con el público objetivo, para finalmente diseñar el plan estratégico de acuerdo con la investigación anterior.

Es muy importante definir basándose en una métrica social independiente para cada una de las plataformas incluidas en el plan, es decir, definir usuarios únicos, coste por usuario único, páginas vistas, visitas... para el *blog*, para Facebook, para Twitter, para Youtube, etc.

El resumen del proceso básico es el siguiente:

1. Definir la propuesta social sobre objetivos medibles y completamente específicos.

2. Definir el público objetivo, segmentando y priorizándolo según su estatus social.

3. Determinar los recursos a usar considerando los humanos y los técnicos.

4. Definir el tiempo necesario para llevar a cabo el proyecto.

5. Alinear los objetivos con métricas económicas trazables como el coste por *lead*, la conversión en venta y el ROI (retorno de la inversión).

6. Definir la estrategia.

Figura 3.8. También disponemos de herramientas que nos ayudan a trabajar sobre conversiones en ventas y el retorno de la inversión.

Ejecución

Una vez realizada la investigación y definidos unos objetivos específicos es preciso trazar una estrategia de social con un plan táctico de acción que permita lograr los resultados deseados. Es el momento de elaborar un plan estratégico que tenga en cuenta los objetivos analizados que debemos alcanzar y, muy importante, los recursos con los que vamos a contar.

Para ello deberemos preparar tácticas que incluyan calendarios de ejecución, campañas, roles y responsabilidades, procedimientos y presupuestos adecuados para la estrategia elegida. Por último llega la fase de definir la arquitectura de marketing social, es decir, el modo y las vías por las que vamos a comunicarnos con la audiencia. Aquí es importante decidir plataformas adecuadas, espacios proveedores de contenido y *landing pages*.

El resumen del proceso básico es el siguiente:

1. Análisis y selección de plataformas que acogen a nuestro público objetivo.

2. Creación de perfiles sociales y comunidades activas donde poder estar en contacto con nuestro público objetivo.

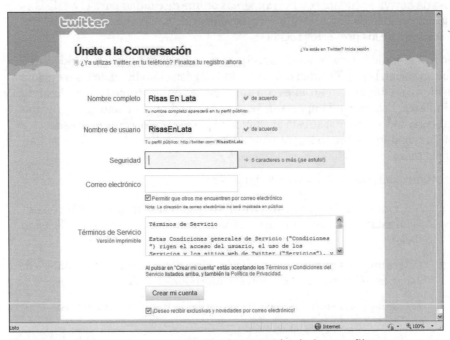

Figura 3.9. Aunque parezca extraño, la creación de los perfiles en las plataformas no es el primer paso, previamente es preciso analizar y seleccionar las que mejor se adapten a la campaña.

3. Establecer un plan de producción de contenidos y gestión de fuentes de modo que la calidad y la cantidad atraiga la atención del público objetivo.

4. Participación en comunidades o grupos relacionados para atraer tráfico cualificado a nuestras comunidades.

5. Puesta en marcha de acciones SEO para optimizar la estructura y codificación de los contenidos publicados en las plataformas sociales para asegurar la máxima visibilidad y el mejor posicionamiento.

Medición

La medición es la base para poder valorar el impacto de un proyecto social, conocer si se está ajustando a los objetivos iniciales y, sobre todo, si está siendo rentable. Otro de los aspectos más importantes de la métrica social es la capacidad que ofrece de poder adaptar nuestro trabajo según los resultados obtenidos. Básicamente se trata de ir adaptando nuestra estrategia de contenidos a los resultados.

A día de hoy ya se cuenta con herramientas online de calidad para el análisis de gran cantidad de datos, lo que permite ajustar de una manera adecuada las acciones de los proyectos sociales.

Conceptos como la tasa de viralidad, el aumento en las búsquedas debido a la apuesta social, la popularidad del contenido o la estacionalidad de las menciones, son ahora medibles y analizables con aplicaciones online como Google Analytics o similares. Esto es muy importante para poder medir el impacto que tiene una estrategia social, saber si se está ajustando al plan trazado, conocer si está siendo rentable y, sobre todo, para tomar decisiones sobre cómo se debe actuar a corto plazo.

El resumen del proceso básico es el siguiente:

1. Determinar las herramientas a utilizar según si se trata de medición de resultados de un *blog*, una determinada plataforma o un wiki/aplicación social.

2. Determinar los criterios de medición cuantitativos, como son número de usuarios, números de seguidores, conversiones, visitas, ventas, etc.

3. Trasladar los resultados clave de la medición también a un análisis cualitativo.

4. Informes periódicos de medición.

5. Toma de decisiones.

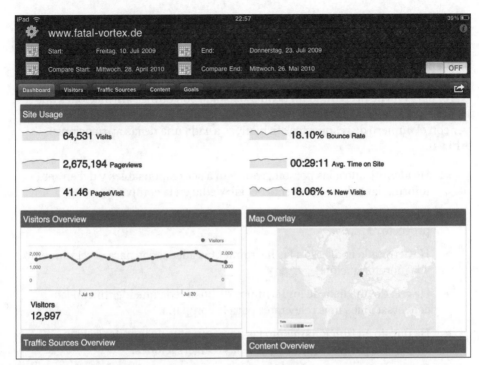

Figura 3.10. Conceptos como la tasa de viralidad, el aumento en las búsquedas debido a la apuesta social, la popularidad del contenido o la estacionalidad de las menciones, son ahora medibles y analizables con aplicaciones online como Google Analytics o similares.

Es imprescindible, disponer de todos los datos clave para conocer de primera mano la acogida de la estrategia Social Media. Es importante conocer si es necesario realizar modificaciones en ella. Hay que tener en cuenta que cada proyecto es distinto y que el éxito de una estrategia está muy relacionado con la versatilidad a la hora de variar el plan según las métricas obtenidas.

EL ÉXITO DE UN PROYECTO SOCIAL MEDIA

Cuando nuestra compañía nos pone al frente para liderar una apuesta decidida por instaurar los Social Media como parte de su negocio, lógicamente, no basta con hablar de número de fans, comentarios o índices de participación. El éxito de una campaña social es algo mucho más serio que todo eso, es una cuestión tanto cuantitativa como cualitativa, que nos obliga a definir métricas complejas como *leads* generados, conversión a clientes o ingresos generados.

El cuestionario del éxito

Lo ideal es comenzar directamente con la pautas a seguir para alcanzar el éxito en un proyecto Social Media. Después de configurar el Social Media Plan y de trabajar sobre su estrategia, es el momento de confirmar que todo ha quedado claro. Para ello he preparado un pequeño listado con quince afirmaciones que es necesario revisar. El éxito del proyecto Social Media va a tener mucho que ver con el número de respuestas afirmativas a cada una de las afirmaciones. Ahí van:

- ▶ He identificado a las personas que van a ser responsables y deben ser informadas sobre el proyecto Social Media en la compañía.

- ▶ He establecido unos objetivos claros y medibles de lo que va a ser el proyecto.

- ▶ He detectado cuáles son las herramientas adecuadas para el seguimiento y la monitorización.

- ▶ He creado una lista de los términos de búsqueda que identifican las conversaciones más relevantes para la compaña.

- ▶ He puesto en funcionamiento las herramientas de monitorización adecuadas para el seguimiento de las conversaciones.

- ▶ He investigado y dispongo de datos reales sobre lo que está haciendo la competencia.

- ▶ He establecido procesos y procedimientos para que la información fluya convenientemente.

- ▶ He creado políticas claras para dar cobertura a la conversación en la comunidad.

- ▶ He identificado a los líderes de opinión más relevantes del sector.

- ▶ He creado un plan editorial de desarrollo de contenidos.

- ▶ He establecido una política editorial que asegure la calidad de los contenidos y que estos resulten interesantes y atractivos para el público objetivo.

- ▶ He asegurado la viralidad de los contenidos para que puedan ser fácilmente compartidos.

- ▶ He invitado a líderes de opinión social a que conozcan el proyecto.

- ▶ He establecido un programa SEO y SSM para aumentar la visibilidad.

- ▶ He detectado cuáles son las herramientas adecuadas para proceder a la analítica de las métricas.

Éxito cuantitativo

Normalmente entre los objetivos del Social Media Plan deben figurar apartados que se dirigen con claridad a hechos directos como incrementar las ventas y obtener un retorno de la inversión en términos cuantitativos y cualitativos.

Según un estudio denominado "State of Inbound Marketing Lead Generation Report", el porcentaje de empresas usando plataformas Social Media o *blogs* que han conseguido clientes por ese canal es el siguiente:

- ▶ Twitter 41%

- ▶ LinkedIn 41%

- ▶ Facebook 44%

- ▶ *Blog* corporativo 46%

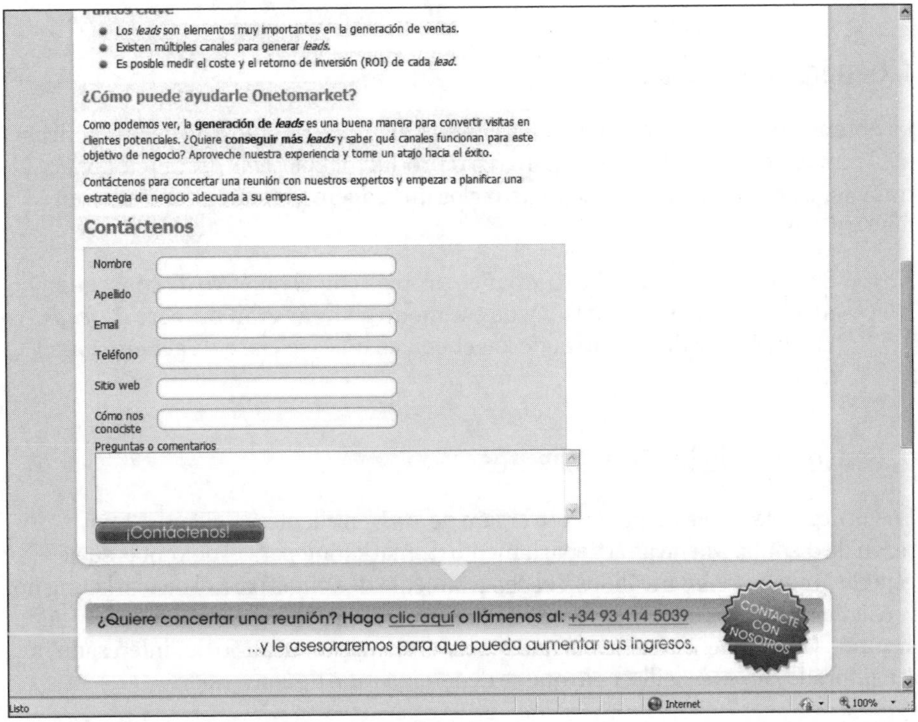

Figura 3.11. Un lead es una solicitud de información directa, sea del carácter que sea.

Por tanto, de un modo exageradamente básico, el éxito cuantitativo en los Social Media se puede resumir en las siguientes tres acciones:

1. Generar *leads* (interesados).

2. Convertir los *leads* en verdaderos clientes.

3. Conseguir ventas e ingresos reales a través de esos *leads*.

Hay que tener en cuenta que un proyecto Social Media que consiga generar un gran número de *leads*, que acaben convirtiéndose en oportunidades de negocio y nuevos clientes, tiene un impacto crucial sobre el volumen de negocio de la compañía. Esto se puede conseguir llevando a cabo estrategias muy comunes, pero que deberemos analizar, valorar y adaptar para aplicarlas a nuestro propio proyecto y compañía.

> De algún modo, un *lead* es una solicitud de información directa, sea del carácter que sea.

1. Generación de leads

La obtención de bases de potenciales clientes siempre ha sido una de las tácticas más rentables para una empresa, marca o producto. Los *leads* permiten poder trabajar, en cualquier ámbito, con usuarios que sabemos están interesados en nuestra comunicación.

▶ Se pueden llevar a cabo campañas propias con el objetivo de conseguir un alto grado de respuesta y de ese modo generar gran número de *leads*. La obtención de Me gusta de Facebook es un caso claro de generación de *lead*s.

2. Conversión de leads en clientes

En los negocios tradicionales la conversión de *leads* en clientes es siempre una razón de disputa. Mientras el departamento de marketing para el de ventas suele generar "muchos *leads* inválidos", el departamento de ventas para el de marketing no consigue resultados con el "excepcional número de *leads*" generados. Lo mismo de siempre. Hay que tener en cuenta que la conversión de un usuario de "interesado" a "enamorado" no es sencilla, es lo que se denomina ratio de conversión.

▶ Se dice que la mejor forma de conseguir una conversión pasa por la viralidad. La recomendación personal o la conversación interpersonal son fórmulas que logran grande éxitos.

Figura 3.12. ¿Un botón Me gusta puede ser considerado como lead?

El objetivo no debe ser generar muchos *leads*, sino generar *leads* de calidad.

3. Transformación de leads en ventas

La transformación de un *lead* en una venta es lo más parecido a conseguir la cuadratura del círculo.

En los Social Media es un procedimiento basado, entre otros, en alimentar a esos *leads* de un diálogo permanente, consistente y personalizado que posibilite la conversión mediante el boca a boca.

▶ La recomendación es el mejor argumento de venta en las plataformas Social Media.

Se suele afirmar que más del 55 por cien de los *leads* que proceden de un formulario terminan por no poder ser convertidos.

Un ejemplo muy interesante sobre la generación de *leads* a través de un *blog* ha sido publicado en un estudio denominado "State of Inbound Marketing Lead Generation Report". Según el informe el número de *leads* generado se encuentra en directa proporción al número de artículos publicados. De este modo el estudio revela que mensualmente:

▶ La publicación de hasta 11 artículos permitirá la generación de 10 *leads* en promedio mensual.

▶ La publicación de 12 a 23 artículos permitirá generar 10 *leads* en promedio mensual.

▶ La publicación de 24 a 51 artículos permitirá generar 13 *leads* en promedio mensual.

▶ La publicación de 52 artículos o más permitirá generar 23 *leads* en promedio mensual.

Figura 3.13. Según el estudio "State of Inbound Marketing Lead Generation Report" la generación de leads en un blog se encuentra en directa proporción al número de artículos publicados.

Según algunos estudios independientes, el 45 por cien de los usuarios prefiere rellenar un formulario online antes que realizar una llamada telefónica a un 900 o que indicar su teléfono para solicitar información.

Éxito cualitativo

Hay un parámetro del éxito de una campaña Social Media que no se puede medir, pero que ofrece beneficios que de algún modo u otro modo terminan siempre reportando beneficios a la empresa, es la variable cualitativa.

Ésta es un activo intangible pero muy valioso, que tal vez no se pueda medir con ninguna herramienta pero que con el tiempo genera beneficios difíciles de conseguir de otro modo.

Figura 3.14. Hay un parámetro del éxito de una campaña Social Media que no se puede medir, es la variable cualitativa. La mejora de la imagen de marca es una variable cualitativa.

El beneficio que genera para la campaña la obtención de un gran número de *leads* se puede medir fácilmente con herramientas dedicadas a ello, sin embargo ofrecer un buen soporte al usuario de nuestra comunidad, es un beneficio difícil de medir. Es la diferencia entre el éxito cuantitativo y cualitativo.

Estos son algunos de los beneficios cualitativos que pueden ofrecer los Social Media:

1. Mejorar la imagen de marca.

    Los Social Media pueden beneficiar enormemente a la imagen de una empresa, marca o producto. Su carácter multiplica valores tan importantes como la cercanía o la transparencia, especialmente importantes para la imagen.

2. Conseguir una mayor fidelización del usuario.

    Es típico afirmar en estos casos que cuesta más conseguir un nuevo cliente que fidelizar al que ya tenemos. Pues bien, a pesar de que los Social Media pueden ayudar en los dos ámbitos, con respecto a la fidelización de clientes puede ser un arma imbatible.

Un ejemplo de éxito cualitativo muy claro en los Social Media lo protagonizó Comcast. Su caso es el de una compañía que gozaba de muy mala imagen de marca. Tras analizar la situación decidió implantar un sistema de atención al cliente por medio de varias cuentas en Twitter a través de las cuales un equipo real de empleados dedicados a dar soporte exclusivo a los clientes. Esto permitió convertir quejas y solicitudes de baja en nuevas oportunidades de negocio.

3. Alcanzar mayor visibilidad.

    Tradicionalmente es preciso salir gritando a la calle para darte a conocer y que el usuario salga corriendo y te ignore. En Social Media el método se basa en poner todos los medios para dejarse encontrar fácilmente por los usuarios que verdaderamente necesitan la marca, el producto o el servicio. De este modo te encuentran usuarios que en otro caso no lo hubieran hecho nunca.

4. Conseguir una reducción importante de costes.

    A pesar de que las campañas Social Media no son precisamente gratuitas como piensan algunos, sí ayudan a reducir las partidas de comunicación y marketing e incluso de llegar a un mayor número de usuarios para la generación de *leads*.

5. Añadir nuevas opciones de atención al cliente.

    Las plataformas online son el mejor modo actualmente para ofrecer un soporte rápido y ágil al usuario. Una compañía que responde y soluciona dudas o dificultades a un usuario, no lo hace sólo a ese cliente sino a una comunidad importante a la que le puede servir la información. Y eso el usuario sabe apreciarlo.

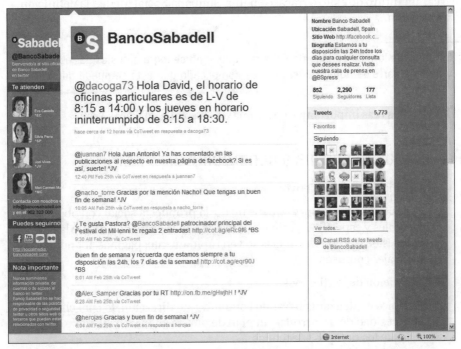

Figura 3.15. Las plataformas online son el mejor modo actualmente para ofrecer un soporte rápido y ágil al usuario. Ya hay claros ejemplos de ello.

6. Generar beneficios internos.

    Los Social Media mejoran enormemente el sentimiento de pertenencia. De algún modo son un vehículo ideal para mejorar la percepción que los empleados tienen de la empresa, pues sentirán que sus opiniones son tomadas en cuenta. De este modo, la buena imagen de la marca llegará al exterior.

7. Activar las relaciones públicas.

    Tiene mucho que ver con la reputación corporativa. Una marca que puede hablar de frente con sus usuarios y ofrecerles respuestas de forma inmediata. Esto limita los riesgos de crisis y potencia la relación.

FRACASO SEGURO EN UNA CAMPAÑA SOCIAL MEDIA

Sin ánimo de ser negativo, nunca está de más revisar cuáles han sido los problemas más habituales en miles de intentos de crear e implementar estrategias de Social Media. Analizando datos de todo tipo se puede llegar a varias razones por las que una campaña puede ser un fracaso de resultados, pero básicamente se podría decir que son dos las variables estratégicas que suelen marcar un futuro de éxito o fracaso en una campaña Social Media: la definición y la ejecución.

> Estudios de lo más variado demuestran que si no se logra entusiasmar al usuario y hacerle parte de nuestro mensaje, es complicado que éste se pueda difundir.

Si los detalles más importantes de alguna de ellas falla, el fracaso está asegurado.

Provocado por una mala definición

▶ Definición de los objetivos.

A pesar de que siempre se debe medir la propuesta social con objetivos medibles y específicos, esto no parece ir con la gran mayoría de las empresas. Las consecuencias se ven rápidamente: páginas abandonadas y mensajes confusos.

▶ Definición de los tiempos.

Es típico comenzar generando contenido sin dirección, lo cual choca con la necesidad de desarrollar un plan de puesta en marcha flexible que marque los tiempos adecuados.

▶ Definición del *target*.

Al igual que con los objetivos, es común cometer errores al determinar a qué segmento del público objetivo vamos a dirigir una determinada campaña. Si no hay una correcta definición se provocará el efecto dominó... no se conseguirá producir el contenido adecuado, no se elegirán las plataformas correctas, etc.

▶ Definición económica.

En muchos casos se comienza a ejecutar el Social Media Plan sin disponer de los recursos económicos y sin el compromiso por parte de la empresa de que invertirá lo marcado como necesario. También puede pasar que se subestimen los recursos necesarios ya que las empresas suelen pensar que el desarrollo de una estrategia en los Social Media requiere un esfuerzo inferior y unos recursos menores que en los negocios tradicionales.

▶ Definición tramposa.

Suele ocurrir, nos dejamos llevar por la ilusión... o por la confusión. Es típico establecer objetivos, cuando menos poco realistas. Fijar metas difícilmente alcanzables es pan para hoy y hambre para mañana. Por este motivo deberemos fijar objetivos alcanzables a corto y medio plazo y siguiendo hitos claros.

▶ Definición de las expectativas.

Las empresas están acostumbradas cada vez más a la inmediatez de resultados. Pues bien, los Social Media no funcionan bajo parámetros tradicionales, es un camino de largo recorrido. A pesar de lo que se puede leer en algunos medios, en las plataformas sociales no se consigue nada de un día para otro, hay mucho trabajo y mucho tiempo detrás de las cosas que parecen más sencillas.

▶ Definición del modelo.

Otro de los grandes errores se basa en la aplicación de modelos de éxito tradicionales. Pueden trasladarse conceptos válidos, pero siempre que pasen por el filtro de la adaptación y la adecuación al nuevo escenario.

▶ Definición basada en la venta.

Usar las plataformas sociales como un canal más de venta y olvidar que los Social Media se basan en las relaciones, es sinónimo de error seguro. Aquí las ventas son consecuencia del establecimiento de relaciones importantes basadas en la confianza y recomendación. Véase la figura 3.16.

▶ Definición del valor diferencial.

Es lo que en Social Media se suele denominar Focus, ese punto fuerte que puede hacer del proyecto de una empresa, marca o producto algo especial, significativo, llamativo. Es imprescindible, y en ocasiones tendemos a olvidarlo.

Provocado por una mala ejecución

▶ Ejecución sin tiempo.

Las prisas nunca fueron buenas consejeras. Es mejor comenzar tarde y bien que pronto y mal. Estar por estar no beneficia en nada, al contrario, puede ser contraproducente. Las acciones en los Social Media pueden tener mucha repercusión, pero las empresas deben ser conscientes de que en las primeras etapas la evolución es lenta. No es sencillo construir una comunidad de usuarios importante ni tampoco dar con la tecla para encontrar el tipo de contenidos y acciones más adecuadas para un público objetivo especial.

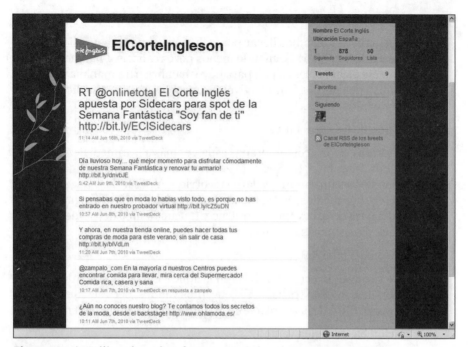

Figura 3.16. Utilizar las plataformas sociales como un canal más de venta y olvidar que los Social Media se basan en las relaciones, es sinónimo de error seguro.

▶ Ejecución en situación de abandono.

Es el resultado típico de la resistencia corporativa y del escepticismo de los demás departamentos. Suele ir unida al paso del tiempo y a la reticencia a seguir apostando por algo, los Social Media, que "deberían funcionar solos".

▶ Ejecución mediocre.

Sin falta de personalidad. Si en el marketing tradicional las marcas se revestían de atributos personales para moldear su forma de ser percibidos, en el marketing digital, donde lo social tiene tanta importancia, y todo se basa en construir relaciones de confianza.

▶ Ejecución basada en el link.

Es tremendamente importante generar contenido exclusivo que apoye el esfuerzo de desarrollo del proyecto. Es verdad que muchas de las publicaciones pueden ser apoyadas por links a contenidos interesantes de otros, pero una política adecuada de contenidos no debe basarse en circunstancia.

▶ Ejecución del tono del mensaje.

Del mismo modo que cuando se realizan adaptaciones de películas o de temas musicales, la adaptación del mensaje a los Social Media requiere sus códigos especiales (más cercanos a las relaciones que a la venta, por supuesto).

GESTIONAR UNA COMUNIDAD

... "¡Por fin es viernes, ¿qué piensas hacer este fin de semana?" Si alguien cree que gestionar una comunidad es desear buen fin de semana a los seguidores de una plataforma social, vamos mal, muy mal.

La creación y gestión de una comunidad es, posiblemente, el proceso más complejo al que se debe enfrentar un Community Manager, de ahí su nombre. Es un proceso que, por su complejidad e importancia, debe tener un apartado importante en la estrategia del Social Media Plan. A veces es sano preguntarse, por ejemplo, cómo hace Starbucks para tener a sus más de diecinueve millones de usuarios en Facebook enganchados a su página, comentando y agregando fotos y vídeos constantemente. Detrás de proyectos de este tipo no hay grandes trucos. Hay muchísimas horas de trabajo, dedicación y recursos, pero no trucos. Su éxito se debe al entendimiento de lo que significa generar una comunidad activa de usuarios. Véase la figura 3.17.

> La mayoría de empresas grandes están en los Social Media pero muchas de ellas no logran el éxito que quisieran, básicamente porque no entienden que una comunidad tiene como objeto final el diálogo.

Un factor clave comienza por la estrecha relación de confianza entre la empresa, el Community Manager y los departamentos de Marketing y Comunicación. Esta es una unión que suele asegurar muy buenos resultados, pero a la vez muy difícil de conseguir. Por eso es muy importante a la hora de lanzar una comunidad social "hacia fuera" de la empresa, haber conseguido previamente disponer de una comunidad "hacia dentro", es decir, departamentos comprometidos y profesionales evangelizados.

> Deben realizarse continuos análisis de la comunidad para comprender el comportamiento del usuario y seguir ofreciéndole valor.

Otro de los factores fundamentales es conseguir que exista una verdadera cohesión en el trabajo diario entre el Community Manager y los equipos de Marketing y Comunicación. Es muy importante porque su unión va a permitir complementar dos perspectivas de la misma idea que deben complementarse. Los Social Media abarcan muchas de las responsabilidades de estos departamentos, Social Media es creatividad, imagen, mensaje... pero también es crisis, *leads*, comunidad, analítica.

Figura 3.17. Detrás de proyectos como el de Starbucks no hay grandes trucos. Hay muchísimas horas de trabajo, dedicación e infinitos recursos, pero no trucos.

Una de las formas más directas de acercarse y conocer a sus usuarios, de escuchar sus necesidades y comunicar sus valores para una empresa, producto o marca, es crear una comunidad.

Conceptos básicos

► La empresa, marca o producto.

Desde el ámbito de la compañía, crear una comunidad implica establecer relaciones horizontales entre la empresa y sus usuarios, escuchándolos y respondiendo a sus comentarios en tiempo real.

Se requiere de una interacción constante donde la humildad, la transparencia y la honestidad, junto a un lenguaje sencillo y claro son características completamente imprescindibles.

Figura 3.18. Crear una comunidad implica establecer relaciones horizontales entre la empresa y sus usuarios, escuchándolos y respondiendo a sus comentarios en tiempo real.

► La comunidad.

Una comunidad es un conjunto de individuos que voluntariamente se interrelacionan para compartir conversaciones. Básicamente suele responder a fines de estrategia de marketing, pero en los Social Media trasciende sus objetivos porque va mucho más allá. Además puede adquirir su propia personalidad a través de la participación activa de sus usuarios.

Un ejemplo muy claro de controversia sobre la obtención de valor a través de una comunidad es Twitter. Hay casos de estudio que afirman que Twitter ofrece un gran valor a sus usuarios gracias al gran tamaño de su red y al gran número de relaciones que se pueden hacer a través de ella. Es un análisis básico centrado en el marketing, desde el punto de vista de cantantes, políticos, medios de comunicación, etc. Sin embargo, este tipo de usuarios no mantienen relaciones personales en Twitter, o al menos no es ese el principal uso de la herramienta para ellos, mantienen contacto con una audiencia de seguidores. La visión es completamente opuesta cuando el caso de estudio demuestra que el valor que ofrece Twitter a un usuario disminuye a medida que el número de relaciones que gestiona aumenta ya que el éxito inicial de la herramienta tenía que ver con el hecho de poder manejar relaciones y no audiencias.

Figura 3.19. Una comunidad es un conjunto de individuos que voluntariamente se interrelacionan para compartir conversaciones.

▶ El usuario.

El usuario encuentra con la comunidad un espacio colectivo donde puede expresarse, un lugar donde el contenido que aporta adquiere importancia. Además puede informarse sobre sus temas de interés e interactúa con otros usuarios con los mismos gustos. El usuario en comunidad pasa de ser un receptor de información a ser el centro de ella.

Figura 3.20. El usuario encuentra con la comunidad un espacio colectivo donde expresarse, un lugar donde el contenido que aporta adquiere importancia. Además puede informarse sobre sus temas de interés e interactúa con otros usuarios con los mismos gustos.

Curiosamente, lo que habitualmente no se tiene en cuenta es que una comunidad depende de los usuarios. Según estudios de Dunbar, el usuario no puede obtener un aprovechamiento total de la comunidad debido al límite cognitivo en el número de personas con las que uno puede mantener relaciones sociales de forma estable. Es lo que se conoce como número de Dunbar. Aunque él nunca indicó una cifra exacta del número de relaciones, la mayoría de investigadores coincide en que es de aproximadamente 150.

▶ El lenguaje.

El lenguaje y el tono de la comunicación en una comunidad responde al de sus usuarios. De este modo consiguen que sea familiar, cercano y comprensible.

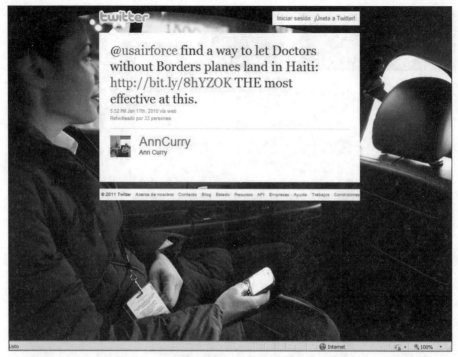

Figura 3.21. El lenguaje y el tono de la comunicación debe ser familiar, cercano y comprensible.

▶ El contenido.

Al comienzo es la clave para conseguir el interés del usuario y después para mantener su participación. Debe ser, en la medida de lo posible, original y adaptado al formato del medio.

▶ El Community Manager.

Es el encargado persona encargada de producir y actualizar el contenido de la comunidad. Su labor pasa por mantener activa la comunidad participando en todas las consultas e incentivando la participación de modo que sea un nexo claro entre la empresa y los usuarios.

Los errores más frecuentes

▶ Si la construyes, tienes asegurada la visita.

Si alguien cree que por pone en marcha un *blog* de cierta calidad y dar de alta varios perfiles en plataformas sociales los usuarios van a aparecer para reunirse por arte de magia está muy equivocado. Estar en los Social

Media no tiene que ver con los canales que la forman, tiene que ver con la escucha, la comunicación, la conversación...

▶ Si la pones en marcha, puedes centrarte en otra cosa.

Son muchas las comunidades, e incluso las plataformas sociales, que se lanzan con cierto éxito pero que al poco tiempo pierden fuerza y desaparecen. Su lanzamiento es una cruz más que hay que poner en la estrategia, una vez puesta en marcha comienza el trabajo de verdad y quedan aún muchos apartados que completar. La estrategia no acaba con el lanzamiento, realmente comienza con él.

▶ Si quieres éxito, crea una comunidad grande.

Éste es el resumen del dicho "burro grande, ande o no ande". Cuanto más grande, mejor. Pues nada más lejos de la realidad. Suponer que el tamaño de la comunidad va a ser proporcional a su éxito es un gran error.

El ciclo de vida

Aunque es un tema arduo y origen de muchas polémicas, es necesario entender el ciclo de vida de una comunidad para conocer cuáles van a ser sus etapas de desarrollo y las dificultades que pueden aparecer en cada una de ellas. Básicamente el ciclo de vida de una comunidad es el siguiente:

1. Constitución. El punto de salida de la comunidad.

   ▶ Se basa en usuarios que buscan valor en el contenido creado.

2. Formación. La comunidad comienza a coger forma.

   ▶ Los miembros se encargan de aportar valor a la comunidad.

3. Relación. La comunidad es cada vez más autosuficiente.

   ▶ Las relaciones entre los usuarios son evidentes y asumen roles (moderador, influyente, creador).

4. Mitosis. La comunidad se funde entre antiguos y nuevos usuarios.

   ▶ La relaciones y los temas específicos hacen que la comunidad se divida en más nodos.

5. Disolución. La comunidad ha conseguido su objetivo.

   ▶ Los miembros se sienten satisfechos por el propósito alcanzado.

Muchos de los debates en torno al ciclo de vida de una comunidad se basan en los trabajos realizados por Bruce Tuckman en los que fija la etapa de vida en constitución, conflicto, normalización, ejecución y disolución.

QUÉ PLATAFORMAS DE CONTENIDO UTILIZAR

La más importante de las características que nos ofrecen los Social Media es la posibilidad de crear una comunidad a través de muchos elementos con diferente idiosincrasia, son lo que denominamos habitualmente como plataformas Social Media.

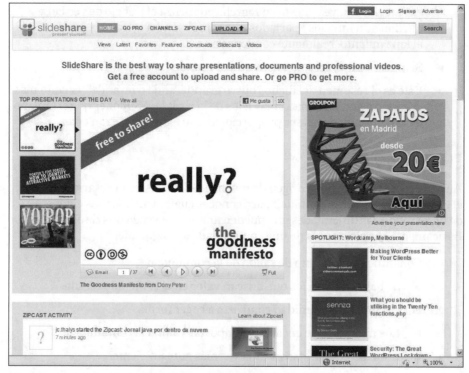

Figura 3.22. Hay plataformas Social Media que se pueden utilizar de apoyo, para mostrar contenidos o guardarlos.

Una de las labores más importantes a la hora de cumplir los objetivos estratégicos del Social Media Plan, dentro del apartado de ejecución, es analizar y seleccionar qué plataformas van a formar parte de nuestra comunidad.

La creación de los perfiles sociales y comunidades activas en los lugares adecuados y con las herramientas correctas van a permitir que la compañía, marca o producto sea más sencilla de encontrar por el público objetivo.

A posteriori, después de la elección, vendrá el momento de generar un buen plan de producción de contenidos adaptados a cada una de las plataformas.

> Si deseamos obtener unos buenos resultados en la configuración y segmentación de las plataformas Social Media, hay que hacer un esfuerzo importante por detectar las necesidades del público objetivo y trabajar muy alineados con ellas.

Éste un momento clave. Decidir la naturaleza y el número de plataformas a elegir no es un trabajo sencillo, y más ahora cuando se cuentan por decenas la aparición de nuevos canales sociales diarios.

Para establecer una política de comienzo conviene recordar la vieja historia del incendio. Imaginemos que nuestra casa se incendia y sólo tenemos dos opciones para acabar con el fuego, la primera es utilizar la pequeña manguera que sale del garaje y la segunda es llamar a los bomberos para que venga el camión con decenas de ellas. ¿Qué opción es la correcta? Mi opinión..., voy a usar la manguera del garaje mientras viene el camión.

¿Qué he querido decir con esto? Un proyecto social debe seguir un ciclo de implementación que obliga a la implementación temporal de las plataformas. Incluso el ir añadiendo poco a poco plataformas a la estrategia es beneficioso, genera movimiento, sensación de que la marca o el producto están vivos y que sus propuestas se actualizan día a día.

En cualquier caso, como se comentará más adelante, a la hora de seleccionar las plataformas que van a formar parte del proyecto, conviene recordar el método que mejor resume los procesos de productividad, el Principio de Pareto, conocido como la Regla 80/20. Básicamente se basa en el reconocimiento a través de la experiencia de que, de un modo aproximado, el 20 por cien de una acción produce el 80 por cien de los efectos, mientras que el 80 por cien restante únicamente origina el 20 por cien de los efectos.

> A la hora de implementar técnicas y estrategias Social Media hay dos plataformas que se destacan sobre el resto, Facebook y Twitter. Su alto nivel impacto en el usuario las hace imprescindibles.

Si basásemos la elección de las plataformas sociales de una campaña en términos de audiencia global y utilizáramos la regla 80/20 quedaría claro que nuestra campaña debe basarse en canales como Facebook y Twitter. De hecho, las audiencias de Social Media dan toda la razón a Pareto ya que se concentran alrededor de muy pocas plataformas: Facebook, Twitter, Flickr, YouTube y LinkedIn. En cualquier caso no hay que dejar de lado otras plataformas que pueden resultar un complemento importante de los sitios habituales. Por ejemplo, no se deben descartar servicios como SlideShare (`Slideshare.com`), AboutMe (`About.me`), Box (`Box.net`) o Plaxo (`Plaxo.com`), entre otros muchos.

Figura 3.23. Algunas plataformas Social Media cumplen misiones muy claras. About.me, por ejemplo, permite tener una especie de landing page personal.

Otro de los parámetros a tener en cuenta a la hora de decidirse por las plataformas que van a formar parte del proyecto Social Media es la temporalidad de sus actualizaciones, es decir el trabajo de actualización que va a conllevar cada canal (fundamentalmente por su idiosincrasia). Un índice más alto de actualización conlleva recursos tanto personales como económicos. La siguiente podría ser una lista, ordenada de mayor a menor, de las necesidades de actualización básica de las plataformas de contenido social más habituales.

1. Twitter (muchas veces al día).

2. *Blog* (una vez al día).

3. Facebook (varias veces a la semana).

4. Flickr (una vez semanal).

5. Youtube (varias veces al mes).

6. Linkedin (varias veces al mes).

Sin embargo, si basamos la elección desde el punto de vista económico, a pesar de lo que muchos medios de comunicación suelen transmitir, los proyectos Social Media no son gratuitos. Es decir, es posible que abrir una nueva página en Facebook sea gratuito, pero los costes de producción y laborales de subir un vídeo, una imagen, una aplicación... incluso un post, no son gratuitos. Esto hay que tenerlo muy en cuenta.

Alimentar varias plataformas sociales no es gratuito, si en vez de trabajar sobre tres canales, lo hacemos en diez, la propuesta económica se puede disparar, tengámoslo en cuenta. Esto es especialmente importante cuando se trabaja para proyectos de empresas o marcas pequeñas.

Figura 3.24. Alimentar varias plataformas sociales no es gratuito, si en vez de trabajar sobre tres canales, lo hacemos en diez, la propuesta económica se puede disparar, tengámoslo en cuenta.

No existe la fórmula mágica para detectar qué plataformas se deben utilizar pero en los últimos tiempos se han tendido a normalizar las estrategias con unos canales básicos que, debido fundamentalmente a sus niveles de audiencia, se han convertido en estándar.

La lista de plataformas por su importancia dentro de una campaña basada en audiencia podría ser la siguiente:

1. *Blog*. Como centro de producción y exposición del contenido.

2. Página en Facebook. Como eje de la comunidad.

3. Perfil en Twitter. Como base del diálogo y la conversación.

4. Flickr. Como canal de base de imágenes.

5. Youtube. Como canal de base de vídeos.

6. Linkedin. Como eje de la comunidad profesional.

LA ESTRATEGIA ADECUADA PARA LANZAR LAS PLATAFORMAS

Bien, una vez seleccionadas las plataformas más adecuadas para el proyecto es el momento de trazar una estrategia de publicación de contenidos.

Utilizando los mismos principios que para seleccionar las plataformas, el plan de estrategia de publicación debe ser conservador en cuanto a la cantidad plataformas y los recursos a invertir pero muy exigente con respecto a la calidad de contenidos y los tiempos de puesta en marcha y actualización.

Los contenidos, tengan el formato que tengan, deben adaptase a los intereses del público objetivo y a las características propias de cada plataforma.

Bajo estos principios, éste podría ser un ejemplo muy básico de una adecuada estrategia de lanzamiento de plataformas por fases.

FASE 1

1. Preparar el sitio Web corporativo para la visita de nuevos usuarios.

2. Publicar un *blog* como base de contenidos y para generar tráfico hacia el sitio Web corporativo.

3. Optimizar el sitio Web y el *blog* para Google.

4. Producir contenido para la actualización diaria del *blog*.

5. Asegurar visibilidad del contenido del *blog* mediante SEO.

6. Diseñar un newsletter para su envío por correo electrónico que tenga como base el contenido del *blog*.

Figura 3.25. Diseñar un newsletter para su envío por correo electrónico es siempre una estrategia muy positiva.

FASE 2

7. Crear un perfil en Flickr y subir fotografías con su correspondiente comentario.

8. Producir un vídeo útil y correcto técnicamente.

9. Crear un canal en Youtube y subir el vídeo.

10. Subir el vídeo a TubeMogul (`TubeMogul.com`) para hacerlo visible en otras plataformas.

FASE 3

11. Crear una página en Facebook y comenzar a crear comunidad.

12. Dar de alta una cuenta en Twitter para comenzar a dialogar y conversar.

13. Crear una página corporativa en Linkedin con los perfiles de los miembros del equipo.

Una vez puesta en marcha la estrategia de publicación y de producción de contenidos para las diferentes plataformas es ideal disponer de unas bases sobre las que se construya la conversación con el usuario.

Muchos Community Managers comienzan las compañas desarrollando documentos para los empleados que participan en ellas activamente. Se podrían denominar algo así como "Hojas de estilo de utilización de los Social Media".

Figura 3.26. Es muy importante que la publicación de contenidos en los Social Media sea respetuosa.

Algunos de los puntos más importantes tienen que ver con:

1. Mostrar respeto. Tratar al usuario como nos gustaría que nos tratara a nosotros.

2. Mostrar responsabilidad. Pensar antes de decir algo inadecuado.

3. Mostrar integridad. Actuar de manera sincera y transparente.

4. Mostrar ética. Cumplir con nuestro objetivo bajo unas normas morales.

5. Mostar conocimiento. Di algo que pueda interesar al usuario.

LA REPUTACIÓN ONLINE CORPORATIVA

Aunque todavía hay a quien le cuesta creerlo, las opiniones vertidas en los Social Media no sólo dan una perspectiva sobre las operaciones diarias de una compañía o marca sino que influyen directamente en sus ingresos económicos. Según estimaciones de la compañía ibérica Guidance, una buena imagen de marca en los Social Media supone, de media, un incremento en las ventas del 37 por cien, a través de nuevos clientes. Por su parte, los comentarios negativos en una comunidad pueden generar una pérdida de clientes de entre el 11 por cien y el 27 por cien. Esto no es ni más ni menos que el resultado de una mala reputación online.

Todo gira en torno al concepto de "escuchar antes de actuar". Cuando una empresa, marca o producto decide tener visibilidad en los Social Media, una de las primeras cuestiones que se plantean es si habrá clientes o antiguos usuarios de los productos o servicios que aprovechen para quejarse. Por supuesto, de eso no hay duda, los va a haber, del mismo modo que los había antes, lo que ocurre es que no sabíamos ni dónde ni cómo ni cuándo. Facilitar a esos usuarios un medio de comunicación directa hacia nuestra compañía supone el primer éxito: a partir de este momento sus quejas se realizarán en nuestra casa, delante de nosotros con lo cual lo vamos a poder saber y vamos a poder responder de la forma más adecuada. Es tan importante el concepto que muchas de las marcas más importantes del mundo confían incluso en empresas externas para saber qué se cuenta sobre su marca, sus competidores y el sector en su conjunto. Véase la figura 3.27.

> La reputación online es uno de esos aspectos que una compañía, marca o producto debe monitorizar sin desfallecer. Para ello se disponen de herramientas con todo tipo de características y muy sencillas de utilizar.

Sin embargo, a día de hoy no basta con saber lo que se dice, ni cuando se dice. Es necesario ponerse manos a la obra y comenzar a dar soporte y a responder a todo lo que el usuario nos demanda. Ahí es donde comienzan a tener protagonismo el control de la conversación. Es ahí donde comienza lo que se podría llegar a denominar la gestión de una reputación online. Es decir, el trabajo, la formación, la participación en y con la comunidad, la construcción, la generación de contenidos, la creación y gestión de la identidad digital y, sobre todo, la vigilancia continua a través de la monitorización.

> Las estrategias de Social CRM crean un estilo de interacción con el cliente a través de contenidos en marketing y creatividad online. El propósito es conseguir un cliente satisfecho. Básicamente el Social CRM se centra en

conocer lo máximo posible al cliente, de modo que se le pueda satisfacer en la conversación, en el contenido y, en general, en la creación de estrategias que le aporten valor. Esto cambia el tipo de relación que se tiene con el cliente y el modo en que se puede llegar hasta a él.

Figura 3.27. Es tan importante el concepto de reputación online que muchas de las marcas más importantes del mundo confían en empresas externas para saber qué se cuenta sobre su marca y sus competidores.

Queda claro entonces que una buena o una mala reputación online no depende únicamente de un comentario negativo en un momento concreto. Esto no basta, no es suficiente para llegar a la conclusión de si una empresa dispone o no de una buena reputación online.

Para disponer de un informe serio es preciso detenerse a analizar e investigar a lo largo de un periodo más amplio y a lo largo y ancho de las distintas herramientas Web, Social Media, medios online, *blogs*, portales especializados, etc., porque no todo en la reputación online se cuece en Facebook o Twitter.

Monitorizar la reputación online

Teniendo claro que las opiniones vertidas en los Social Media influyen directamente en los ingresos económicos el comienzo de la gestión de la reputación corporativa para por disponer de unos procedimientos de seguimiento y monitorización así como de unas herramientas adecuadas.

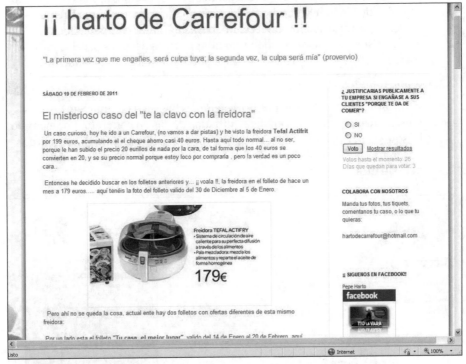

Figura 3.28. Cuando una empresa, marca o producto decide tener visibilidad en los Social Media, una de las primeras cuestiones que se plantean es si habrá clientes o antiguos usuarios de los productos o servicios que aprovechen para quejarse.

1. Qué monitorizar.

    Debemos conocer tanto lo positivo como lo negativo, pero no global, siempre sobre unos parámetros determinados. Es decir, es necesario acotar las características de la monitorización. Pongamos un ejemplo, no sería adecuado intentar conocer cual es la causa de una baja facturación anual y sí conocer los detalles sobre la alta devolución de nuestro producto de una determinada partida.

Para ello la táctica debe ser crear listas con frases que puedan servir para encontrar opiniones sobre nuestro producto: nombre de empresa, posibles fallos, nombres de productos, referencias e incluso nombres de personas.

2.   Dónde monitorizar.

Para llevar a cabo el proceso, no sólo son necesarias herramientas particulares, sino que pueden ser vitales el propio Google y las búsquedas filtradas de Twitter y Facebook. Las tres plataformas son una fuente increíble de información interesante para cualquier campaña Social Media. Eso sí, la búsqueda debe ser adaptada, es decir, es preciso indicar correctamente las descripciones para obtener enlaces a comentarios.

3.   Cómo monitorizar.

Utilizar herramientas de monitorización es básico. Hay muchas de ellas que están especializadas en determinadas tareas en concreto. Por ejemplo, búsqueda por palabras o términos, monitorización de personas, rastreo de temáticas especiales, etc. Todas son válidas, dependiendo de las necesidades.

Figura 3.29. Básicamente la monitorización es un proceso que se realiza para la obtención de información, su análisis y una posterior actuación.

4. Para qué monitorizar.

    Básicamente la monitorización es un proceso que se realiza para la obtención de información, su análisis y una posterior actuación. Una vez conseguidos los datos es necesario analizar todo lo que se ha observado e interpretarlo. Esto nos dará las claves para saber cómo actuar. Lo ideal aplicar el sentido común y establecer unos criterios de actuación adecuados, dependientes de una estrategia, tanto para los comentarios positivos como para los negativos.

Monitorización y herramientas

La monitorización de la reputación online es, básicamente, un seguimiento digital que tiene como objetivo poder analizar de forma puntual y regular en el tiempo el clima de opinión alrededor de una marca, producto o compañía.

La reputación online es medible, incluso cualitativamente, a través de herramientas que pueden rastrear los términos más vinculados a la campaña.

Éstas son algunas de las herramientas que nos pueden ayudar en esta labor:

►   BrandFo (`Brandfo.com`).

    Rápido y útil para obtener opiniones en *blogs*, foros y noticias en medios.

►   BackType (`Backtype.com`).

    Rastrea todos los comentarios de los usuarios en los *blogs*.

►   Google Alerts (`Google.com/alerts`).

    Para, sin hacer nada, recibir información por correo electrónico sobre un término, marca, nombre, etc.

►   Social Mention (`Socialmention.com`).

    Se basa en índices como fuerza, sentimiento y pasión en los comentarios o alcance de las opiniones. Véase la figura 3.30.

►   ReputacionXL (`Rxl.com`).

    Monitoriza términos o direcciones Web en la fuentes deseadas para luego enviar alertas.

►   Whostalkin (`Whostalkin.com`).

    Muy completa ya que ofrece opciones de monitorización en *blogs*, foros, plataformas, etc.

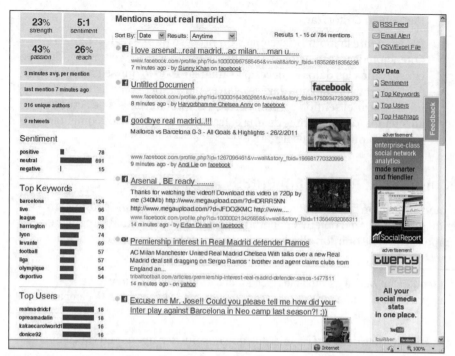

Figura 3.30. Social Mention se basa en índices como fuerza, sentimiento y pasión en los comentarios o alcance de las opiniones.

▶ SamePoint (`Samepoint.com`).

Ofrece una imagen de los lugares que hablan sobre lo monitorizado.

▶ Swotti (`Swotti.com`).

Despliega una lista de menciones de fuentes diversas (wikis, *forums*, webs) con valoración.

▶ BlogPulse (`BlogPulse.com`).

Una herramienta muy potente para índices de búsquedas muy frecuentes.

Rumorología social

Una buena reputación online corporativa tiene que hacer frente siempre a uno de sus mayores enemigos, la rumorología social. Productos y marcas acostumbran a levantarse todas las mañanas con información online que en ocasiones, además de rozar lo esperpéntico, les pueden hacer mucho daño. Ejemplos como la rumorología social que se mueve tras productos como iPhone y Playstation o tras empresas como Microsoft o Nokia, son dignos de escribir un único libro sobre ellos.

Pero si para una marca o compañía la rumorología social puede ser devastadora, no digamos cuando de lo que se trata es de una persona. Personas influyentes, famosos, conocidos, periodistas, empresarios... nadie escapa a los Social Media y a su rumorología.

Para apoyar esto, se puede contar la historia de una mujer que, sin existir, se coló entre las 10 personas más populares del año 2010 para Google en España. Es la siguiente:

Una chica, aprovechando cierto parecido físico, se hace pasar por hermana de la periodista Sara Carbonero. Para ello abre perfiles en Facebook y Tuenti, se llama a sí misma Cristina y afirma ser novia del futbolista Bojan Krkic.

La noticia tiene cierta repercusión en los Social Media y por este motivo pasa a los medios tradicionales. La curiosidad hace que los usuarios comiencen una búsqueda masiva en Google sobre el tema. Con el paso del tiempo se desmienten los datos, sin demasiado éxito, lo cual genera aún más interés. El caso es que la información consigue colocar a "Cristina Carbonero" en el Top 10 de famosos de Google. Una historia real que se convirtió en la mentira del año 2010.

Figura 3.31. Si para una marca o compañía la rumorología social puede ser devastadora, no digamos cuando de lo que se trata es de una persona.

ALGUNOS TÉRMINOS QUE SON IMPORTANTES

Es posible que a lo largo del libro estén apareciendo algunos términos que no resultan sencillos de entender y menos aún de conceptuar. Es típico que cuando surgen nuevas habilidades y nuevas profesiones, paralelos a ellos aparezcan también nuevos conceptos y términos que a veces es preciso aclarar. Éstos son algunos de los más importantes asociados a la profesión de Community Manager y a los Social Media.

Landing page

Podemos definir el término *Landing page* como la página a la cual un usuario accede tras haber hecho clic en algún enlace. Esta *landing page* puede ser la página principal de un sitio Web o una página concreta de un producto o, por ejemplo, una pestaña en un perfil de Facebook. En Internet, las *landing pages* son el complemento perfecto de las campañas de marketing y de las acciones de comunicación. Son páginas adicionales cuyo fin es el de incrementar las ventas del producto o servicio anunciado. Son similares al concepto de *microsite*.

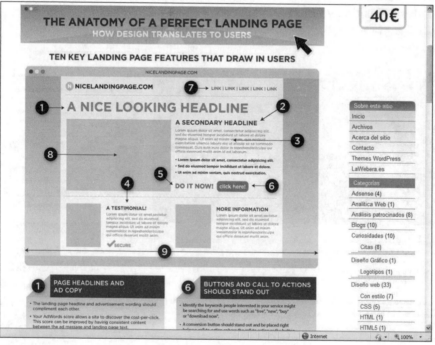

Figura 3.32. Las landing pages precisan de un estudio atento y pormenorizado.

Una *landing page* sirve de herramienta para medir llevar a cabo métricas en determinadas acciones promocionales, antes de que sean lanzadas al mercado. Según indican algunos estudios más del 60 por cien de los profesionales del e-mail marketing prefieren analizar las campañas utilizando *landing pages*.

Leads

Lead, término inglés que significa adelantar o tomar la delantera. Este concepto es utilizado en Internet como una solicitud de información que se produce tras una búsqueda del usuario o una acción de publicidad en buscadores. Por ejemplo en una campaña de Google Adwords el usuario introduce un término de búsqueda y el sistema muestra un anuncio, cuando el usuario hace clic en el anuncio, ha llegado a la *landing page* y ha cumplimentado un formulario, eso es un *lead*.

En campañas Social Media el término *lead* se considera de un modo mucho más versátil ya que puede asignarse a un Me gusta de Facebook o incluso a la instalación de una aplicación.

Marketing viral

Marketing viral es de un tipo de estrategia que motiva a los individuos a transmitir rápidamente un mensaje comercial a otros, generando un crecimiento exponencial en la publicación de dicho mensaje. Su fundamento se trata en el boca a boca "electrónico"

La idea viral principal transporta hacia otra también viralizable. Lo que se acaba llamando *viral loop*, que define la propagación del contenido hasta su agotamiento.

Spam

Este término define lo que se conoce como mensajes no solicitados, no deseados o de remitente desconocido.

Por norma general suelen ser mensajes de tipo publicitario o con información de producto o servicios.

Las Social Media tampoco se libran del *spam*. Actualmente los *spammers* utilizan los Social Media para dejar mensajes atractivos con links hacia las páginas maliciosas y aunque el asunto del correo pueda ser extraño, como por ejemplo "Twitter 011-07" o "Shakira te invita a unirte a Facebook", al usuario le pueden parecer correos verdaderos.

Tanto Twitter como Facebook han establecido diferentes fórmulas para combatir este tipo de *spam*, aunque poco pueden hacer ya que los *spammers* roban o se hacen con cuentas de acceso y las utilizan para las campañas de bombardeo publicitario o correo basura.

Perfil

El perfil es la forma en la que los Social Media identifican a sus miembros. Son datos generales, personales o de presentación de la empresa o del profesional que participa en ellos. Según su finalidad, es decir si es personal o profesional, los datos que se incluirán en el perfil pueden variar para referirse a características y aficiones del usuario, a su cualificación profesional, a las actividades de la empresa, etc. En general en todos se incluyen datos básicos como el nombre, una fotografía, una dirección de correo electrónico e información adicional.

Los Social Media profesionales, como Linkedin, incorporan información sobre la experiencia laboral, la formación y otro tipo de datos a modo de Curriculum Vitae. Las plataformas personales incluyen datos más relacionados con gustos, *hobbies*, opiniones, etc.

Dependiendo de las opciones de cada plataforma y la configuración realizada, el perfil puede ser visible de manera distinta para un grupo de contactos que para el público en general de Internet. Lo habitual es que también puede definirse el perfil como público o privado.

Red de contactos

Crear una red de contactos en un Social Media significa seleccionar a aquellos usuarios con los que se puede mantener una relación fluida dentro de una comunidad. Esto permitirá consultar su información, ver la actividad de su perfil, contactarle, etc. Gracias a los Social Media el alcance de una red de contactos puede ser casi ilimitado, al igual que su visibilidad y su ritmo de crecimiento. Existen muchas facilidades para la vinculación tanto en el aspecto personal como en el profesional.

Muro

Es conocido en los Social Media como el espacio que permite la publicación de mensajes, contenidos y conversaciones visibles para otros usuarios. En función de cómo se configura el perfil, es posible permitir que las publicaciones de un muro sean totalmente públicas, o solamente accesibles para quienes forman parte de una red de contactos determinada.

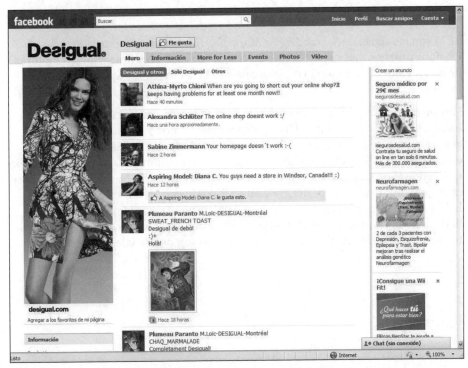

Figura 3.33. El muro de Facebook permite la publicación de mensajes, contenidos y conversaciones visibles para otros usuarios.

Linkbait

Término que traducido al castellano significa "enlace cebo". Hace referencia a cualquier contenido o característica de Internet que de alguna manera estimula al usuario a crear enlaces hacia él desde sus perfiles sociales.

El *Linkbaiting* se define como la técnica de crear un buen contenido y suele encuadrarse dentro de las técnicas de posicionamiento en buscadores, su objetivo es conseguir el mayor número de enlaces en el menor tiempo posible.

Algunas fórmulas son:

► Crear un buen artículo o material y promocionarlo.

► Desarrollar un newsletter con contenido interesante.

► Establecer listas de recomendaciones.

► Enviar contenido con licencia Creative Commons.

SEM

SEM son las siglas de *Search Engine Marketing* (Marketing en Buscadores). Engloba muchos más aspectos que un trabajo de SEO (Optimización en motores de búsqueda), y trata todo lo relacionado con la promoción y aparición en los buscadores.

Hoy en día casi la totalidad de los buscadores (Google, Yahoo! MSN Search, ...) incluyen en sus resultados enlaces patrocinados. Estos son anuncios, generalmente de texto, que son de la misma temática que las palabras que el usuario busca, y que el anunciante ha comprado previamente. La propia empresa que vende el producto suele o puede gestionar su campaña. Sin embargo siempre es mejor contar con la experiencia de un SEM. Un conocedor en SEM tiene la habilidad y la experiencia para saber qué palabras hay que comprar en una determinada campaña publicitaria en buscadores, puesto que existen numerosos términos que quizá atraigan a visitantes que no son potenciales clientes.

4. Las plataformas de contenido y las herramientas de trabajo

PLATAFORMAS SOCIAL MEDIA Y SU FUNCIONALIDAD

Uno de los puntos a priorizar dentro de la labor de un Community Manager es el conocimiento detallado de las plataformas Social Media. Es fundamental dominar sus características a la hora de la toma de decisiones previa a la elección de una determinada estructura de contenidos dentro de una estrategia social.

Por suerte, en este apartado no hay duda, a día de hoy los líderes sociales están claros. Si algo es "palabra de Dios" para un Community Manager a la hora de comenzar a trabajar en un proyecto social, sea de la naturaleza que sea, es que lo debe hacer obligatoriamente basándose en seis o siete plataformas universales.

Éstas son las que copan el porcentaje más cercano al total de las audiencias sociales y, por lo tanto, son imprescindibles en cualquier estrategia sea cual sea el público objetivo. Es lo que podríamos denominar como una "configuración predeterminada".

Tanto Facebook y sus más de 500 millones de usuarios como Twitter con sus 300.000 nuevos usuarios al día son las plataformas más utilizadas en Internet.

Si bien son muy distintas en su concepto, ambas han conseguido un gran éxito social y son los reyes de la audiencias.

Según un estudio de Society of Digital Agencies, casi un tercio de los encuestados afirmó que contratará personas con dominio de los Social Media durante 2011. Curiosamente situaron por debajo la capacidad de investigación y de planificación estratégica.

Figura 4.1. Facebook con sus más de 500 millones de usuarios es una de las plataformas más utilizadas.

La base social, Facebook

Es tal el éxito de Facebook que aunque comenzó su actividad como un servicio de la Web ha logrado convertirse, de algún modo, en la base social sobre la que el usuario engloba la mayor parte de sus actividades online diarias.

La adopción de esta rutina ha hecho que muchos de los usuarios no visiten la Web para buscar información, ver vídeos, chatear con sus amigos o bien leer noticias, sino que lo hagan directamente dentro de la plataforma de Facebook.

Podríamos decir que Facebook se ha convertido en el espacio donde el usuario hace su vida en Internet. Lo cual, es una rutina clave a la hora de plantear una estrategia Social Media.

Tal es el fenómeno, que la revista Wired publicó un artículo titulado "La Web ha muerto. Larga vida a Internet". En él se argumentaba que los usuarios cada vez utilizan menos sitios como Google y Yahoo! para buscar información o Youtube para ver vídeos e incluso han dejado de utilizar los populares servicios de correo electrónico. Todos estos procesos se realizan ahora en Facebook, la plataforma integra tantos servicios y posibilidades que el usuario no ve necesario salir de ella para desarrollar su vida social diaria.

Figura 4.2. Cada vez se utilizan menos los sitios como Google y Yahoo!. Se busca en los Social Media.

Más de 500 millones de personas tienen su perfil en Facebook, donde sus contactos les muestran vídeos, les invitan a ver sus fotografías, a leer las reflexiones que hacen en sus *blogs* o a comunicarse con ellos por mensajería instantánea y correo electrónico. ¿Para qué salir de Facebook si todo lo necesario está dentro de él? Sin darse cuenta el usuario ha cambiado su hábito de "salir" a buscar el contenido por otro basado en "recibir" el contenido en su página personal de Facebook.

Incluir Facebook en una campaña social es sinónimo de audiencia y servicio, unidos a evolución. De hecho en los últimos tiempos la operativa de Facebook es muy difícil de seguir, cambia día a día. No hay día que no te despiertes con un cambio estético en los perfiles, en los servicios para móviles, en la mensajería, en la integración con otros sitios y servicios, en las aplicaciones y un largo etcétera. Esto hace que se haya convertido en una plataforma que está presente, prácticamente, en cualquier lugar que visitemos de la red, ya sea con un botón de "Me gusta" o con un servicio que utilice Facebook Lugares o Facebook Connect.

Figura 4.3. Facebook está prácticamente en casi todos los lugares.

El mensaje, Twitter

Twitter es un servicio que permite a los usuarios enviar y publicar mensajes breves desde todo tipo de plataformas, generalmente de sólo texto. Estos mensajes se muestran en la página de perfil del usuario, y son también enviados de forma inmediata a otros usuarios que han elegido la opción de recibirlas o suscribirse a ellas. Actualmente es la herramienta social utilizada por más de 200 millones de usuarios de todo el mundo para hacer "*microbloging*". Es decir, enviar mensajes cortos de texto (*tweets*), que no deben superar los 140 caracteres, a un grupo de seguidores. Estos *tweets* son almacenados en una página del tipo (http://twitter.com/nombredeusuario) donde pueden ser leídos por todo el mundo que la visite.

Figura 4.4. Twitter es la herramienta social utilizada por más de 200 millones de usuarios.

Aunque se comenzó dudando tanto de su finalidad como de su utilidad, su creciente número de seguidores ha provocado que en la actualidad Twitter sea utilizado en todo tipo de estrategias sociales: retransmisión de charlas y ponencias a las que poca gente tiene acceso, intercambio de opiniones durante un evento en el que la gente asiste como público, comentarios sobre debates, e incluso para la realización de entrevistas.

Las principales características de Twitter son su simplicidad, su facilidad para generar lazos emocionales y su gran poder de movilización. Básicamente su utilización mejora el canal de comunicación directa con el usuario ya que permite generar y adquirir información, atrae la atención y, sobre todo, es ideal para la escucha.

Figura 4.5. Los Social Media se han hecho tan importantes
que ya aparecen como parte de las búsquedas oficiales.

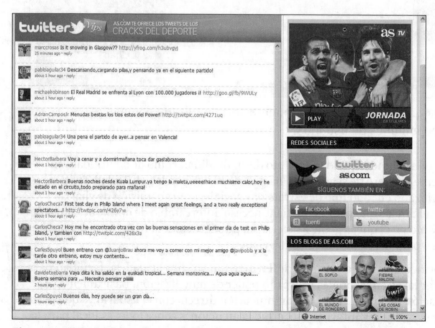

Figura 4.6. Twitter es el canal de comunicación por excelencia.

Por esto incluir Twitter en una campaña Social Media es sinónimo de construir y recuperar relaciones. Es ideal para las relaciones públicas, crear recuerdo de marca, como método promocional, como soporte de atención al cliente, para cubrir eventos, comunicar noticias de última hora, realizar entrevistas, comercio electrónico, en resumen... para escuchar y hablar con los usuarios.

El vídeo, YouTube

Es la red social líder de vídeo online. Su poder reside en ofrecer un sistema fácil y sencillo para publicar y compartir piezas de vídeo, además de facilitar la creación de canales temáticos específicos con importantes posibilidades de personalización. Esto quiere decir que puede emplearse para generar un sistema de comunicación visual con clientes/consumidores, medios de comunicación y otras audiencias clave.

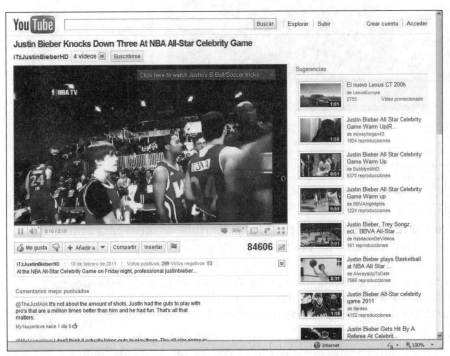

Figura 4.7. YouTube ofrece un sistema sencillo para compartir piezas de vídeo.

YouTube, entre otros, es ideal para exhibir vídeos corporativos y de producto (o ejemplos de trabajos realizados...), permite interactuar al usuario con el producto y ofrece la posibilidad de compartir el canal con otros usuarios

interesados en la misma temática. Todos servicios muy importantes para
cualquier estrategia Social Media. Por si esto fuera poco dispone de una
usabilidad fantástica de cara al visitante, ya que permite localizar cualquier vídeo
por medio de las etiquetas de metadato, títulos y descripciones que el usuario
asigna a la pieza de vídeo.

Figura 4.8. En campañas Social Media, YouTube es ideal para exhibir
vídeos corporativos y de producto.

Su popularidad ha provocado que YouTube se convierta en la plataforma
preferida para la difusión de todo tipo de fenómenos, incluyendo lanzamientos
mundiales de productos o campañas online de grandes marcas.

Actualmente, cuando se gestiona un proyecto Social Media es enormemente
importante no olvidarse de las posibilidades que ofrece el vídeo online,
posiblemente una de las mejores herramientas de marketing para impulsar
audiencias.

Su poder es tal que un único vídeo online de 30 segundos puede ser capaz de
crear seguidores de por vida o, por el contrario, usuarios horrorizados capaces
de hacer tambalear un buen proyecto.

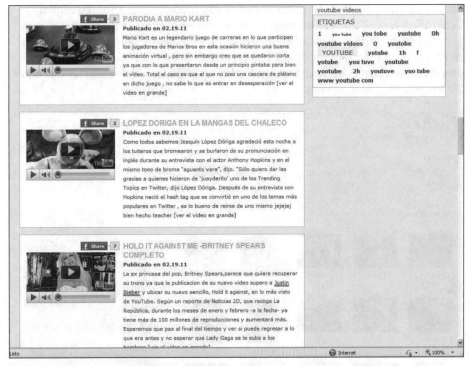

Figura 4.9. La integración de YouTube en otros espacios online ha sido clave en su éxito.

La integración de YouTube en otros espacios online ha sido clave en el éxito y evolución de YouTube. ¿La razón? Su sistema de inserción e incrustación funciona en la práctica totalidad de plataformas, *blogs* y sitios Web, sean tecnológicamente de la naturaleza que sean.

Gracias a esto sus vídeos se difunden con mucha más facilidad que los de otras plataformas. Lo hacen porque YouTube es el número uno cuantitativamente en usuarios y tráfico.

La fotografía, Flickr

Fundamentalmente Flickr es una plataforma de gestión de fotografías que combina las funciones tradicionales de un archivo digital (es decir, clasifica las imágenes por categorías, permite indicar el perfil del autor, facilita su envío a otras plataformas, etc.) con algunas herramientas más propias de los programas de tratamiento digital de imágenes (mosaicos temáticos o selecciones de zonas sensibles).

Flickr es tremendamente popular por sus capacidades como almacén digital
fotográfico. Su éxito radica en gran parte por haberse convertido en una
plataforma muy útil combinada con otras, como un *blog* o, por ejemplo, un perfil
en Facebook. Flickr hace que no sea necesario disponer del contenido duplicado
y basta con incrustar las imágenes en el *blog* o perfil con la dirección apuntando a
Flickr para disponer de ellas.

Figura 4.10. Flickr hace que no sea necesario disponer del contenido
duplicado y basta con incrustar las imágenes en el blog o perfil
con la dirección apuntando a Flickr para disponer de ellas.

Las posibilidades para su utilización en estrategias Social Media son ilimitadas.
Flickr posee además una amplia gama de aplicaciones y *gadgets* que amplían
mucho su uso.

Por ejemplo, es posible subir fotografías casi desde cualquier soporte, desde el
escritorio, correo electrónico o teléfono móvil. Además se pueden almacenar
instantáneamente por colecciones, álbumes, juegos y etiquetas. Si además es
necesario se pueden editar para, por ejemplo, insertar una marca de agua, borrar
ojos rojos o añadir elementos.

Si queremos integrar Flickr en una página Facebook es posible utilizar aplicaciones, como FlickrTab, que permiten mostrar las galerías, álbumes y colecciones en una pestaña del perfil.

Flickr tiene muchos servicios más. Entre los más importantes para un gestor de comunidades está el hecho de que permite utilizar su API para desarrollar aplicaciones personalizadas. Un servicio de gran valor a la hora de su utilización social.

De hecho la característica fundamental de Flickr es su vertiente social. Mirándolo desde el punto de vista de la estrategia, es mucho más que una simple plataforma donde archivar imágenes: es a la vez un lugar de reunión de aficionados, una sala de exposiciones y un vehículo de comunicación de experiencias e iniciativas visuales que se comparten y se llevan a cabo online.

En Flickr el usuario puede interactuar de muchas formas distintas, ya sea mostrándose los unos a los otros sus colecciones fotográficas o bien debatiendo sobre los sistemas de ordenación de las imágenes según las categorías que considere cada usuario. Se crea así un álbum global al que se puede acceder desde múltiples conceptos. Por ejemplo, basta con escribir Nueva York o New York para que aparezcan varios cientos de miles de fotos que tienen como tema de referencia a la capital del mundo.

Sin embargo aún hoy muchas campañas sociales optan por guardar las imágenes en servidores propios y mostrarlas a través de código asociado al *hosting*. Sin embargo usar una plataforma como Flickr ayuda a que las fotografías sean indexadas con más facilidad por buscadores como Google, y por esa vía contribuyan a que la campaña gane presencia. Es un modo más de aumentar la exposición de los contenidos y no deja de ser un vehículo más para conectar con el usuario que no se debe despreciar.

Los contactos, LinkedIn

Los Social Media han dado lugar a distintos tipos de plataformas y comunidades orientadas a la comunicación bidireccional. En este contexto, existen plataformas enfocadas únicamente al mundo laboral que nos pueden resultar en la gestión de proyectos sociales. En general estas plataformas resultan muy útiles para todos, pero como profesionales sociales nos pueden resultar fundamentales para llevar a cabo acciones de visibilidad y marketing.

En este terreno LinkedIn es el líder, es la plataforma social orientada a los negocios por excelencia. Es conocida y reconocida profesionalmente a nivel mundial, ya que se trata de una red pensada para los contactos de carácter empresarial y para comunicarse de forma sencilla con los profesionales del mundo de los negocios.

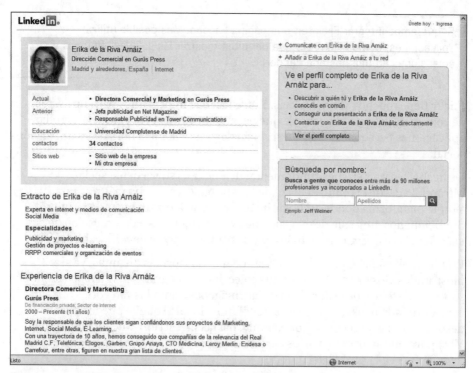

Figura 4.11. LinkedIn es la plataforma social orientada
a los negocios por excelencia.

Su funcionamiento es básico y de gran éxito. Se basa en que cada usuario
disponga de un espacio propio en el que incluir los datos más importantes de su
carrera profesional, como si se tratase de un currículum online, de una manera
sencilla y guiada por la aplicación. Es lo que comúnmente se conoce por un perfil
en LinkedIn. Otra de sus características más importantes son los grupos.

Gracias a ellos se crea un lugar para identificar apuestas comunes en negocios
y sectores, creándose una pequeña red de profesionales con intereses en común
con posibilidad de llegar a tener relaciones comerciales.

LinkedIn actualmente cuenta con la mayor red de profesionales conectada del
mundo ya que sumaba más de 90 millones de usuarios a finales de 2010, de los
cuales más de la mitad se encuentran fuera de Estados Unidos. Con usuarios en
más de 200 países distintos, 560.000 profesionales visitan diariamente su página
y cada segundo se crea un nuevo perfil en ella.

Además con sus nuevas características, que también permiten a las empresas
disponer de su perfil profesional online, más de un millón de corporaciones
tienen ya páginas empresariales en LinkedIn.

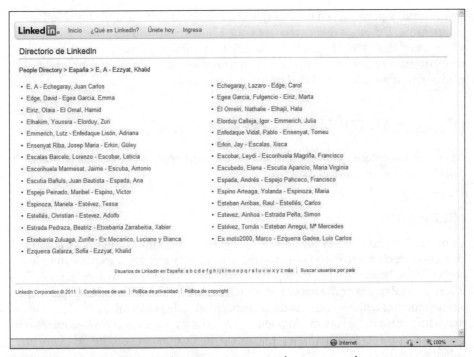

Figura 4.12. LinkedIn actualmente cuenta con la mayor red de profesionales conectada del mundo.

El liderazgo de LinkedIn en este nicho de mercado es aplastante. No hay ninguna plataforma social que le haga sombra actualmente, algo que debe quedar muy claro a la hora de desarrollar proyectos Social Media. Además es una plataforma en constante desarrollo. No hay semana que no sorprenda con una actualización o característica novedosa.

En los últimos meses, y cada vez con mucha más asiduidad, se añaden nuevas funcionalidades a la plataforma: vídeos de YouTube, botón para compartir los contenidos, páginas para empresas, nuevos campos con los que completar un perfil o incluso un mapa en el que visualizar las conexiones de un perfil.

Hay algunas características que, sumadas a su modelo básico de actuación, han hecho de LinkedIn una plataforma de obligada utilización. Entre ellas destaca la posibilidad de que la información del perfil esté disponible para indexarse en los motores de búsqueda y la facilidad que ofrece para que el perfil se promocione y sea publicado en otras plataformas y *blogs*.

Mirando LinkedIn bajo el prisma de un Community Manager, sin duda se trata de una gran herramienta para incorporarla a la gestión de corporativa de campañas sociales y, sobre todo, para fomentar la visibilidad como marca empresarial y personal, en caso de que sea necesario para cumplir los objetivos estratégicos. Debemos tener en cuenta que LinkedIn aporta un gran valor a la comercialización, al desarrollo de canales y colaboraciones, a ampliar conocimiento y conocer expertos, a la contratación de personas y, sobre todo, al posicionamiento y la visibilidad de nuestra campaña.

OTRAS PLATAFORMAS A TENER EN CUENTA

Aparte de las anteriormente explicadas existen otras plataformas que también son de gran interés para el usuario.

Foursquare

Es una de las plataformas sociales de más éxito en los últimos tiempos debido a su rápido crecimiento (3400 por cien durante 2010) y sus grandes posibilidades comerciales. Básicamente Foursquare es una herramienta de geolocalización internacional que permite hacer check-in (registrarse) en los lugares en que se encuentra el usuario, utilizando las capacidades de geolocalización de su dispositivo móvil. De este modo puede compartir su posición con sus contactos y hacer comentarios sobre el lugar. Al hacerlo puede obtener recompensas por su colaboración.

Desde el punto de vista del usuario es una herramienta colaborativa que permite compartir con otros usuarios experiencias sobre restaurantes, tiendas, centros comerciales, etc.

Desde el punto de vista del Community Manager es una herramienta interesante de cara a realizar campañas promocionales de geolocalización, una tendencia clara en el corto plazo. Véase la figura 4.13.

Quora

Es una red a la que seguir su evolución ya que puede dar grandes alegrías de cara al futuro. Fundada por dos antiguos empleados de Facebook es una plataforma de preguntas y respuestas de alto nivel que está teniendo un gran éxito debido a la rápida adopción por parte de los usuarios. ¿Cuál es su ventaja diferencial con respecto a otras plataformas de este tipo como Yahoo Respuestas (http://answers.yahoo.com) o Formspring (Formspring.me)? Básicamente que las respuestas son socializadas por usuarios de alto nivel, es decir, CEOs, empresarios, periodistas, etc. Poco a poco está conformando una comunidad muy similar a la de Twitter y Facebook y los principales gurús sociales la están colocando como una de las principales redes de cara al futuro. Véase la figura 4.14.

Figura 4.13. Foursquare es una herramienta de geolocalización internacional que permite hacer check-in en los lugares en que se encuentra el usuario.

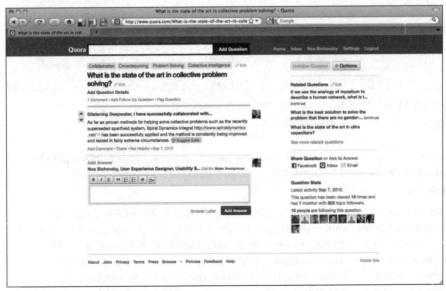

Figura 4.14. Las respuestas de Quora son socializadas por usuarios de alto nivel.

Xing

Podríamos decir que Xing es una plataforma de contactos muy visible en Europa. Mediante sus servicios y funciones, el usuario registrado puede encontrar contactos profesionales de gran valor. Ofrece a los usuarios una infraestructura social y las aplicaciones necesarias para practicar networking profesional.

Figura 4.15. Xing es un servicio similar a LinkedIn pero de carácter más europeo.

Sus herramientas están concebidas para cubrir las necesidades del empresario, los directivos, los autónomos y los profesionales que necesitan contactos y constante comunicación.

Aparte de la gestión de contactos por su base de datos, Xing ofrece también otras posibilidades, como pueden ser: un calendario público de eventos, que se presentan al usuario por orden temático o geográfico. Además, se puede aprovechar la función de "eventos" para la gestión de la agenda personal. También se permite la interacción entre los usuarios a través de foros de discusión sobre muchos ámbitos, que pueden ser abiertos al público o cerrados al uso interno para organizaciones y empresas.

BLOGS

Un *blog* es un vehículo para comunicar y comunicarse, donde el usuario debe acercarse aceptando las reglas del juego.

Para ello es bueno apuntalar dos principios fundamentales:

1. El usuario es el centro.
2. El contenido es el rey.

Del mismo modo, avanzar con éxito por el camino de una campaña Social Media es cuestión de dos constantes:

1. Identidad.
2. Objetivo.

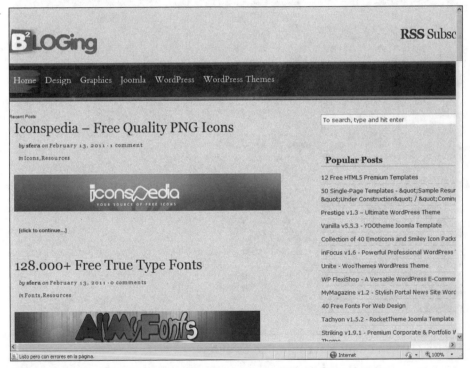

Figura 4.16. Un blog es un medio para comunicar y comunicarse.

Teniendo como base estas premisas, la utilización de un *blog* como herramienta de publicación de contenidos sólo puede reportar beneficios.

Cualquier proyecto Social Media, además de retroalimentarse mediante el contenido generado por el usuario o por otros medios de comunicación, precisa de una base externa a las plataformas que de la "base" de visibilidad a la información. Ahí es donde tiene su principal protagonismo el *blog* y el contenido sindicado.

El blog, el contenido con mayúsculas

Muy básicamente, un *blog* no es más que una publicación online con mensajes, artículos o reseñas mostradas con una cierta periodicidad, y que son presentadas en orden cronológico inverso, es decir, lo último que se ha añadido es lo primero que aparece en la pantalla. Pero a día de hoy, sus funcionalidades y posibilidades son ilimitadas.

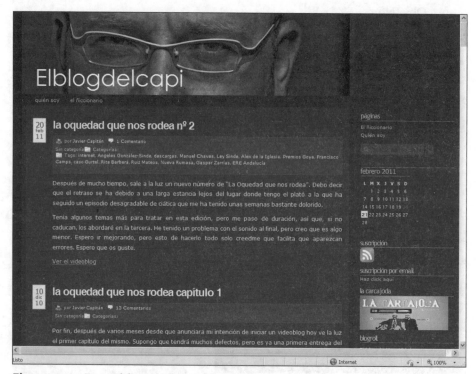

Figura 4.17. En un blog el contenido es el rey.

Lo habitual, como mínimo, es que cuenten con un sistema de comentarios que permita al usuario establecer una conversación con el autor y el resto de lectores y que haga un uso intensivo de los enlaces a otros contenidos y páginas para socializar la información y citar fuentes. Los *blogs* se han convertido en un espacio de influencia. Las ideas, noticias y opiniones se transmiten a gran velocidad, sin intermediarios, y después se analizan, se matizan y se reinventan. Y luego, vuelta a empezar.

¿Qué ofrece además un *blog* que le convierte en tan imprescindible dentro de un proyecto Social Media? Básicamente que puede llegar muy lejos, tanto como sea capaz una buena campaña social y el profesional que gestione sus contenidos.

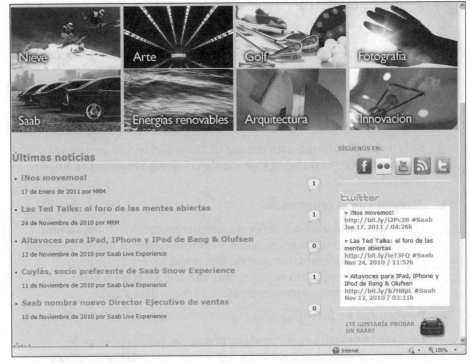

Figura 4.18. Los blogs se han convertido en un espacio de influencia. Las ideas, noticias y opiniones se transmiten a gran velocidad, sin intermediarios, y después se analizan, se matizan y se reinventan.

El Informe sobre la Blogosfera 2010 de Technorati confirmó que los *blogs* siguen siendo importantes en las acciones sociales, sobre todo por los recursos que ofrecen además del contenido. La capacidad de un *blog* para promocionar el contenido, su posicionamiento y sus capacidades multimedia, marcaron la diferencia en el estudio. Así el 90 por cien de los *bloggers* encuestados admitió estar utilizando algún tipo de elemento multimedia en su plataforma. Entre ellos, el vídeo está comenzando a ser un recurso muy común ya que más del 50 por cien de profesionales afirmó estar utilizándolo. En el mismo estudio el 74 por cien

de gestores de contenido de un *blog* declaró generar contenidos propios.
Estas son algunas de las características que puede ofrecernos un *blog* en una
estrategia social:

► **Generación de tráfico.**

Facilita la conexión de contenidos con el sitio Web y las plataformas
sociales. Además permite interactuar con facilidad con Facebook y
Twitter, soporta la utilización de agregadores de contenido como Digg o
Menéame y es ideal para la sindicación de contenido (RSS).

► **Escucha.**

Permite recibir opiniones, entre otros, de nuestros clientes y compradores
potenciales así como de visitantes ocasionales. Sus comentarios y
críticas pueden ser claves a la hora de ayudarnos a mejorar un contenido,
producto o servicio.

► **Contacto directo.**

Es la mejor plataforma para prestar un buen servicio de atención al
cliente y de ofrecer un buen soporte. Con el tiempo revertirá en nuestro
beneficio.

► **Aumento de la reputación.**

Es un buen vehículo para mejorar nuestra reputación. Gracias a un
blog es posible contrastar opiniones y críticas, dejarnos ver en el sector,
responder a peticiones o demostrar que podemos ser útiles para el
usuario. Por ejemplo, un *blog* corporativo suele asociar un *know-how*
determinado a una marca o compañía. Véase la figura 4.19.

► **Posibilidad de investigación.**

Es el soporte ideal, por su rapidez y eficiencia, para la prueba de
conceptos de productos, acciones de comunicación o cualquier otro
elemento de marketing de una campaña.

► **Incremento de la confianza.**

Ofrecer un contenido de calidad y adecuado a nuestro público objetivo
es sinónimo de fidelizar, es decir, la posibilidad de atraer nuevos usuarios
y de conseguir que el usuario habitual confíe cada vez más en la marca o
la empresa.

► **Mejora de las relaciones.**

Gracias a la versatilidad del *blog* podemos incrementar nuestros contactos
gracias a la conexión con plataformas sociales como Facebook y Twitter o
incluso a redes profesionales como LinkedIn o Xing.

Figura 4.19. Un blog es un buen vehículo para mejorar nuestra reputación.

▶ **Generación de viralidad**.

Un *blog* puede ser el punto de partida base de todo tipo de acciones virales a través de la difusión y prescripción de productos y mensajes. Véase la figura 4.20.

▶ **Redondea las campañas sociales.**

Un *blog*, entre otros, añade interactividad a las acciones de E-mail marketing y ofrece visibilidad, por ejemplo, a otras piezas de la compaña como pueden ser *newsletters* o encuestas.

A pesar de que el *blog* ofrece todas estas características positivas, su planificación y desarrollo debe estar estrechamente ligado al plan de comunicación y estratégico de la campaña Social Media.

Estas son las características fundamentales de un *blog* básico:

▶ **Agilidad,** de puesta en marcha rápida.

▶ **Simpleza,** se configura de manera muy sencilla.

▶ **Facilidad,** publicación y actualización de contenidos.

▶ **Versatilidad,** ofrece muchas posibilidades de comunicación.

▶ **Inmediatez**, el contenido se muestra casi en tiempo real.

▶ **Visibilidad,** ofrece mucha repercusión y gran posicionamiento.

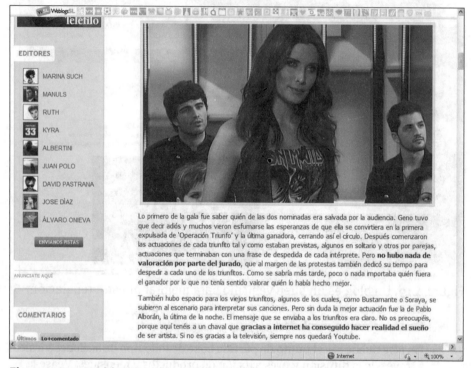

Figura 4.20. Un blog puede ser el punto de partida base de todo tipo de acciones virales.

Con estas características, lo siguiente es saber para qué debemos utilizar un *blog*. Estas son las principales razones:

▶ Como plataforma de **publicación**.

▶ Como plataforma de **conversación**.

▶ Como plataforma de **visibilidad**.

▶ Como plataforma de generación de **influencia**.

¿Te parecen pocas razones para incluir un *blog* (o varios) dentro del plan estratégico de tu proyecto Social Media? Te ofrezco algún dato más concluyente. Según un estudio publicado a finales de 2010 por The Foundation Center, con el fin de documentar el uso de los Social Media entre los directivos de las empresas, el *blog* más leído por los CEO era el Huffington Post (Huffingtonpost.com) y, en el informe presentado, el 53 por cien de los ejecutivos lo habían leído por lo menos una vez en los últimos seis meses.

¿Qué tiene de importante este dato para el tema que estamos tratando? Mucho. Muchísimo. Tanto como los 315 millones de dólares que se comprometió a pagar AOL para adquirirlo en mitad de Febrero de 2011.

Un simple *blog* con únicamente seis años de vida y liderado por una periodista que le da su nombre, Arianna Huffington, ha conseguido una audiencia de 24 millones de usuarios únicos mensuales, muy cerca del New York Times, y que AOL lo compre. Eso es el ejemplo más claro de la importancia de un *blog* a la hora de disponer de un contenido de calidad, visible y con grandes posibilidades de crear influencia.

Sin embargo, para concluir, no debemos engañarnos. La creación y mantenimiento de un *blog* y su contenido es una tarea de envergadura. No nos debemos dejar engañar por lo que habitualmente se publica sobre la creación de "bitácoras personales". No tiene nada que ver.

Figura 4.21. Un blog personal no tiene apenas similitudes a un *blog* corporativo.

Si la estrategia de contenidos de una campaña Social Media sitúa al *blog* como eje de la comunicación, que suele ser lo habitual, estamos hablando de palabras mayores.

La clave de utilización del *blog* en una campaña social tiene mucho que ver con su aprovechamiento estratégico como el canal indirecto de captación de clientes más importante, ya que no hay que olvidar que el usuario actual comparte en las demás plataformas sociales (fundamentalmente en Facebook y en Twitter) enlaces de los contenidos de *blogs* que más le interesan. Eso debe llevar a generar *branding*, visibilidad y tráfico.

Por tanto no basta con un *blog* en `WordPress.org` y la publicación de un post semanal. Nada más lejos de la realidad. "La pescadilla grande que pesa poco" no existe.

Poner en marcha un *blog* sin tener en cuenta los objetivos o las consecuencias de la acción puede incluso causar efectos contrarios a los deseados. Por ello es importante conocer cuales son los factores clave para producir un *blog* que cumpla con los objetivos marcados. Son los siguientes:

- ▶ Dominio propio y adecuado.
- ▶ *Hosting* propio y escalable.
- ▶ Alineación del contenido con la campaña.
- ▶ Alineación del contenido con el público objetivo.
- ▶ Alineación de su actualización y evolución según los objetivos marcados en la campaña.
- ▶ Involucración de todos los miembros de la marca o compañía en su evolución.
- ▶ Contenido producido por varios autores, identificados e identificables.
- ▶ Emplear textos cortos e imágenes de recurso.
- ▶ Uso del *blogroll* como herramienta para enlazar a otros *bloggers*.
- ▶ Citar las fuentes.

WordPress, ahora, la mejor elección posible

Cuando llega la hora de elegir una plataforma gestora de contenidos para un *blog*, lo que habitualmente se denomina un sistema gestor de contenidos (CMS), es imprescindible que tengamos en cuenta una serie de factores que determinarán nuestra decisión, ya que no sólo debemos tener en claro cuáles serán los parámetros de nuestro proyecto, sino también las diferentes alternativas a las que podemos optar.

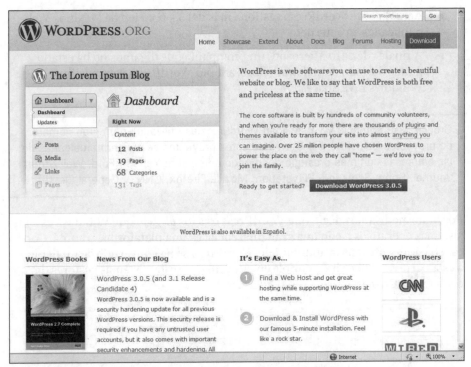

Figura 4.22. WordPress se ha convertido de un tiempo a esta parte en el líder indiscutible en el segmento de los sistemas gestores de contenido.

Para elegir correctamente es muy importante analizar cuáles son las ventajas y desventajas que nos ofrecen cada uno de los sistemas y cual de ellos se adapta mejor a las necesidades del proyecto. En el caso del desarrollo de un proyecto Social Media, los Community Manager más importantes del mundo han estado tiempo en la disyuntiva de si debían realizar sus proyectos en Joomla o en WordPress, los CMS más importantes del mercado. Ambos ofrecen importantes características y funcionalidades, cualquiera de los dos sistemas es una buena elección, pero el tiempo de experimentación con ambas plataformas ha demostrado que WordPress es un entorno más estable e integrado con los Social Media.

Pues bien, para ratificar esto valgan algunos datos:

▶ Empresas del prestigio de Ford, Wall Street Journal, Sony, Samsung, Playstation, Mozilla Firefox, CNN, y General Electric, entre otros muchos, confían en WordPress para desarrollar su proyectos online. No hay duda entonces, la elección está hecha.

▶ Actualmente WordPress gestiona más del 8,5 por cien de los sitios Web publicados en Internet.

▶ A finales de 2010 Microsoft, una compañía que digamos no ha estado nunca del lado del software libre, adoptó WordPress para sustituir a Windows Live Space.

Gracias a su potencia y versatilidad WordPress es utilizado en un gran número de proyectos Social Media. Detrás de estos proyectos se encuentran algunas de las empresas con más prestigio del mundo como son: Yahoo!, Ford, Wall Street Journal, Sony, Samsung, Playstation, Mozilla Firefox, CNN, y General Electric.

Por tanto, podríamos decir, que WordPress es a los *blogs* lo que Windows es a los sistemas operativos... con una gran diferencia, es una plataforma gratuita. Con esto básicamente quería apuntar que WordPress se ha convertido de un tiempo a esta parte en el líder indiscutible en el segmento de los sistemas gestores de contenido. ¿Cuál es la razón de su liderazgo?

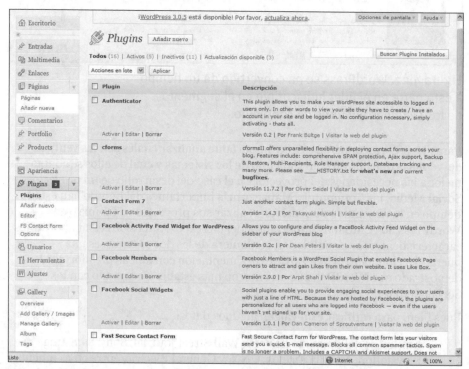

Figura 4.23. Gracias a los plugins un blog en WordPress puede integrar cualquier tipo de contenido.

Hay muchas, pero estas son algunas de las más importantes:

▶ Es fácil de utilizar y de administrar.

▶ Está respaldado por una gran comunidad de usuarios y desarrolladores.

▶ Está traducido a decenas de idiomas.

▶ Ofrece características de gran potencia.

▶ Se actualiza constantemente y automáticamente.

▶ Existe mucha información de soporte en Internet.

▶ Es tremendamente versátil.

▶ Hay miles de *Themes* prediseñados para ser usados inmediatamente.

▶ Dispone de miles de *plugins* para alimentar sus servicios y funcionalidades.

▶ Sus *blogs* se estructuran de manera que resultan ideales para el SEO.

▶ Se basa en una interfaz muy similar a la de un procesador de textos.

▶ Es gratuito.

Como plataforma para prestar servicio a una campaña Social Media, es preciso destacar la orientación de un *blog* al flujo de comunicación, la herencia de los foros en el mecanismo de comentarios y la ventaja de ofrecer la posibilidad de direccionar cada fragmento de contenido (*post*, entrada o artículo) con un enlace permanente o fijo, es decir, una dirección Web perfectamente unívoca. Básicamente, las características básicas de servicio de un *blog* personal no distan mucho de las de un *blog* profesional. WordPress ofrece los mismos servicios básicos a un usuario cualquiera que a un profesional. Véase la figura 4.24.

En cuanto a su arquitectura, las plataformas de publicación personal de *blogs* tienen mucho que ver con las profesionales, pero no ofrecen las mismas características. Producir un *blog* en WordPress hospedado en WordPress.com (como es habitual en los *blogs* personales) no ofrece la misma potencia y versatilidad que un *blog* desarrollado desde WordPress.org e instalado en un servidor propio.

WordPress.com es un sitio Web, al estilo Blogger.com, en el que nada más registrarse ya es posible escribir artículos y publicarlos. Sin embargo no es un proceso exento de limitaciones. Por otro lado está WordPress.org, una plataforma de código libre desarrollada para ser instalada en un servidor propio con importantes diferencias con respecto a su potencia y versatilidad.

Las principales ventajas de Wordpress.org con respecto a WordPress.com son las siguientes:

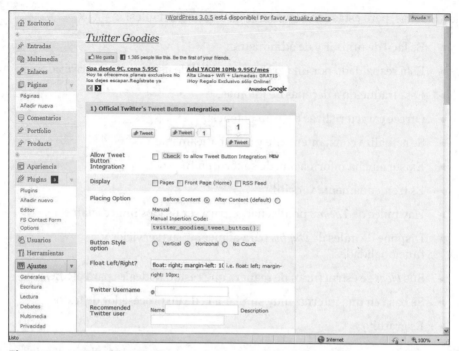

Figura 4.24. WordPress ofrece todo tipo de *plugins* para la integración del blog con los Social Media.

► Es posible alojar el *blog* en cualquier servidor.

► Permite utilizar PHP.

► Compatible con *Plugins*.

► Permite personalizar el *CSS* del *Theme*.

► Permite modificar completamente el *Theme* instalado.

► Permite utilizar todo tipo de *Themes*.

► Permite añadir cualquier sistema de publicidad.

PARETO, EL 80/20, LO QUE PRODUCE MAYOR PRODUCCIÓN Y NOS AHORRA TIEMPO

El Principio de Pareto, también conocida como la Regla 80/20, se basa en el reconocimiento a través de la experiencia de que, de un modo aproximado, el 20 por cien de una acción produce el 80 por cien de los efectos, mientras que el 80 por cien restante únicamente origina el 20 por cien de los efectos.

¿Qué aplicación puede tener esto a nuestra rutina de acción de una estrategia Social Media? Básicamente podríamos resumirlo en que, de algún modo, podríamos conseguir que con poner en marcha con éxito sólo el 20 por cien de las acciones del plan estratégico, produciremos el 80 por cien de los resultados de la campaña.

Imaginemos que aplicamos el Principio de Pareto a las audiencias de los Social Media. Aplicada a este ámbito la Regla 80/20 diría que el 80 por cien de los usuarios se concentra en el uso de un 20 por cien de plataformas. Si no he revisado mal los últimos informes caídos en mis manos, no sólo no es cierto sino que el porcentaje de usuarios se quedaría corto con respecto al porcentaje de plataformas. ¿Qué tal un 90/10?

Figura 4.25. Los datos reales de audiencias dicen que los usuarios de Social Media se concentran alrededor de unas pocas plataformas.

Los datos reales de audiencias dicen que los usuarios de Social Media se concentran alrededor de unas pocas plataformas. Facebook, Twitter, Flickr, YouTube y LinkedIn, son líderes que acumulan porcentajes muy cercanos al 100 por cien. Evidentemente, esto no quiere decir que éstas sean las únicas plataformas sociales que existen, hay muchas más, incluso demasiadas.

La creación y difusión de nuevas plataformas sociales tiene una evolución imparable, pero muy pocas, casi ninguna, llega a resultar interesante de cara a las audiencias. A día de hoy existen redes sociales de ciclistas, de mujeres con perro y de calvos convencidos. Pero eso no quiere decir que sean interesantes... a no ser claro, que nuestra estrategia social tenga que ver con generar tráfico para la venta de un crecepelo.

Figura 4.26. La creación y difusión de nuevas plataformas sociales tiene una evolución imparable, pero muy pocas, casi ninguna, llega a resultar interesante de cara a las audiencias.

Una broma viral que corre por los Social Media desde hace tiempo viene a decir algo así como que si las plataformas sociales fueran piedras colocadas en línea recta, un Community Manager podría cruzar la península ibérica de extremo a extremo saltando sobre ellas sin tocar la tierra... acompañado de una ardilla, claro.

Los datos reales de audiencias dicen que los usuarios de Social Media se concentran alrededor de unas pocas plataformas. Facebook, Twitter, Flickr, YouTube y LinkedIn, son líderes que acumulan porcentajes muy cercanos al 100 por cien.

Aplicar el Principio de Pareto a una campaña

Una de las tareas, aunque no la única, para la que puede ayudarnos el Principio de Pareto es, por ejemplo, para identificar el 20 por cien de las plataformas que disponen del 80 por cien de los usuarios según el público objetivo demandado en una campaña.

Es proceso para la identificación es sencillo. Basta con realizar una investigación previa, completar una lista con la audiencia de cada una de las plataformas que mejor ajustan su segmentación al perfil del público objetivo que se requiere y decidir sobre cuales nos aportaran el porcentaje más alto de audiencia. A partir de este momento debemos centrar todo el esfuerzo de la campaña, tanto cualitativo como cuantitativo, en poner en marcha, atender y desarrollar las plataformas que mayor número de usuarios segmentados nos van a ofrecer.

Figura 4.27. En estrategias sociales no merece la pena malgastar tiempo y esfuerzos en plataformas minoritarias, y menos aún si se alejan de nuestro público objetivo.

En estrategias sociales no merece la pena malgastar tiempo y esfuerzos en plataformas minoritarias, y menos aún si se alejan de nuestro público objetivo. El proceso se simplifica y se optimiza si se reduce el número de plataformas en las que tendremos visibilidad, con lo cual permite realizar un trabajo más adaptado. Resultado: mejor gestión, mejor calidad de los contenidos, mejor soporte, mejor análisis, mejor localización, etc.

Al reducir el número de piezas de la campaña simplificaremos enormemente las operaciones de puesta en marcha, actualización y soporte, lo cual también reduce notablemente los costes económicos. En definitiva, con menos trabajo más beneficio. ¿Nada mal verdad?

HERRAMIENTAS DE INVESTIGACIÓN. MONITORIZACIÓN Y ANÁLISIS DE INFLUENCIA

¿Monitorizas o trabajas? Parece una broma pero cuando nuestro trabajo tiene una buena parte de elementos que tienen que ver con la toma de decisiones, son clave la investigación y el análisis, ya que se convierten en rutinas que aportan un gran valor a los proyectos.

En los Social Media el vehículo para analizar correctamente es llevar a cabo profundos procesos de monitorización. Estos procesos se pueden llevar a cabo a través de infinidad de herramientas y habitualmente proporcionan todos los comentarios donde se hable sobre el objeto de estudio, diferenciando en qué canal se ha publicado esta información, ya sea Facebook, Twitter, un determinado *blog* o un foro. Sólo a través del análisis de los datos obtenidos a partir de la monitorización podremos crear conocimiento y tomar decisiones estratégicas. Véase la figura 4.28.

El autor clásico chino Sun Tzu, dice en El arte de la guerra, una obra plagada de ideas estratégicas, "Si no conoces a los demás ni te conoces a ti mismo, correrás peligro en cada batalla. Conoce a tu enemigo".

Pues bien, los datos por sí solos no significan nada. Su valor viene dado por el tratamiento, la estructuración y el análisis según los objetivos de investigación. De ahí aparecerá el detalle y nos llegará el conocimiento útil. Sólo con ese conocimiento podremos hacer un análisis de influencia online que nos permita averiguar qué es lo que piensan los usuarios sobre un determinado producto, marca o servicio. Luego vendrá la toma de decisiones y la implementación de las estrategias a llevar a cabo.

> Uno de los apartados más importantes de la planificación estratégica de un proyecto Social Media es la investigación y la monitorización. Este proceso, de mucha más importancia y valor global del que se le suele admitir, lleva implícito un importante proceso de seguimiento y control de lo que el público objetivo dice de las compañías, marcas y productos que son competencia directa.

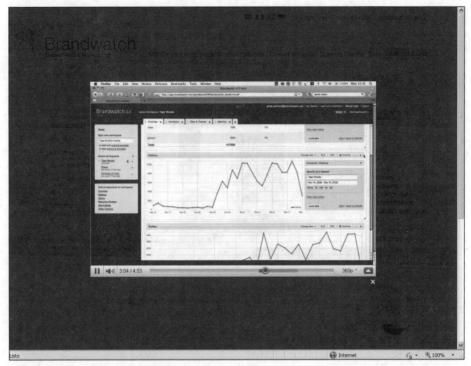

Figura 4.28. Sólo a través del análisis de los datos obtenidos a partir de la monitorización podremos crear conocimiento y tomar decisiones estratégicas.

Habitualmente, al comienzo de los proyectos Social Media, se suele trabajar con poco presupuesto, una tarea a la que un Community Manager debe estar acostumbrado. Los presupuestos que se destinan a las partidas Social Media, además de escasos, suelen venir asignados a determinadas tareas que nunca suelen coincidir con el período de investigación.

No es habitual encontrar una compañía o un cliente que sea capaz de pagar una buena cifra de dinero por utilizar, por ejemplo, Radian 6 (`Radian6.com`). Es curioso cómo algunas empresas comienzan a estar dispuestas a tener una presencia seria en los Social Media pero, sin embargo, no son capaces de invertir en apartados, que como la monitorización, son claves para los resultados finales. Véase la figura 4.29.

Sólo a través del análisis de los datos obtenidos a partir de la monitorización podremos crear conocimiento y tomar decisiones estratégicas. Sólo a través del análisis de los datos obtenidos a partir de la monitorización podremos crear conocimiento y tomar decisiones estratégicas.

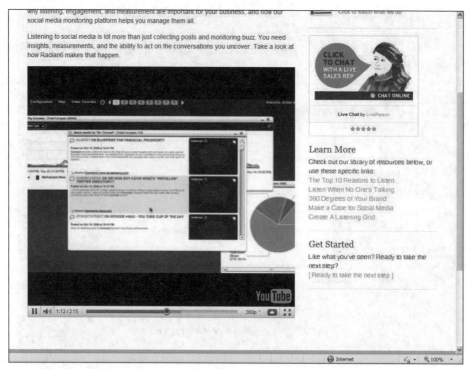

Figura 4.29. No es habitual encontrar una compañía o un cliente
que sea capaz de pagar una buena cifra de dinero por utilizar,
por ejemplo, Radian 6.

Es muy importante escuchar, para de este modo poder medir el impacto de
términos, conceptos y tendencias que aparecen en las conversaciones de los
Social Media y que pueden resultar claves para nuestro proyecto.

Y eso que a día de hoy tampoco existe una verdadera aplicación global que
integre todas las necesidades, o por lo menos gran parte, de investigación en un
proyecto social. Esto no significa que las herramientas de pago no dispongan
de potencia o se trata de que los Social Media abarcan tan amplia variedad de
funciones, tareas y necesidades que resulta complicado encontrar la herramienta
perfecta.

En cualquier caso, no hay problema, Internet tiene soluciones para casi todo y
para esto también. Actualmente ya existen online muchas aplicaciones, de gran
calidad, que nos van a permitir realizar tareas de investigación y monitorización
sin problemas, de un modo gratuito y pudiendo abarcar todas las labores de
investigación y monitorización.

Un paquete de investigación formado por las siguientes aplicaciones online podría ser una solución potente y muy recomendable para comenzar a trabajar en la investigación y monitorización.

► Radian 6 (`Radian6.com`).

► Socialmention (`Socialmention.com`).

► Kgbpeople (`Kgbpeople.com`).

► TwitterSearch (`Search.twitter.com`).

► BlogPulse (`Blogpulse.com`).

► Google Analytics (`Google.com/analytics`).

A continuación vamos a revisar algunas aplicaciones y herramientas que pueden ser de utilidad para realizar el proceso de investigación y monitorización. Es una selección de las que, a mi juicio, disponen de características interesantes y que, de algún u otro modo, nos pueden ayudar a completar este proceso con éxito.

La monitorización del contenido de los Social Media es una de las labores más complejas del Community Manager. Obtener informes, cruzar datos y analizar números, es siempre una tarea difícil. Gracias a las herramientas online es posible aliviar el proceso.

Aunque hay cientos de ellas, no es fácil encontrar la herramienta perfecta y universal. Muchas aplicaciones ofrecen prestaciones clave, pero por ser gratuitas, no son siempre todo lo detalladas y completas como deberían. Por eso se pueden utilizar simultáneamente, siempre que nos permitan realizar las operaciones que precisemos. Hay que tener en cuenta que cuando se trata de monitorización y seguimiento de Social Media, es muy difícil elegir. Véase la figura 4.30.

Existen miles de herramientas de investigación y análisis disponibles online con todo tipo de características. Nacen como setas. Algunas son gratuitas, la mayoría de pago. La clave es probar y trabajar con ellas hasta encontrar la que más se adapta a nuestras necesidades. Cada profesional tiene un modo de hacer las cosas.

La intención de este capítulo, es proporcionar opciones suficientes para poder elegir bien. A través de estas aplicaciones vamos a poder completar la gran mayoría de acciones de monitorización y seguimiento, entre otras, vamos a poder seguir la evolución de seguidores, *fans*, buscar una marca, conocer nuestra posición o *ranking* respecto a otras páginas e incluso efectuar una estimación del retorno de la inversión (ROI) de un proyecto.

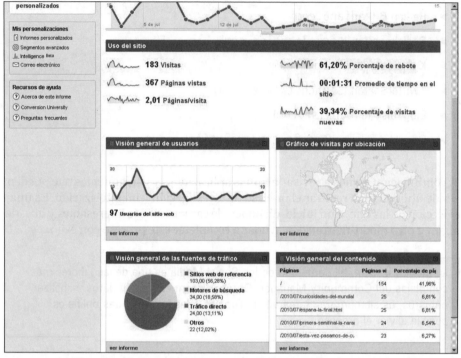

Figura 4.30. Muchas aplicaciones ofrecen prestaciones clave, pero por ser gratuitas, no son siempre todo lo detalladas y completas como deberían.

Quizás no sea la mejor idea usarlas todas, ya que algunas ofrecen servicios comunes. No obstante, combinándolas es posible disponer de un panel de investigación y seguimiento muy completo y versátil.

Existen herramientas de alto nivel, la mayoría de pago, que resultan perfectas para administrar y obtener diferentes tipos de métricas (internas, externas, de reputación, de alcance, de administración) de monitorización. Conviene conocerlas y probarlas a través de sus opciones de prueba gratuita.

▶ Radian 6 (Radian6.com).

▶ ViralHeat (Viralheat.com).

▶ UberVu (Ubervu.com).

▶ Hootsuite (Hotsuite.com).

▶ Sproutsocial (Sproutsocial.com).

▶ ObjectiveMarketer (ObjectiveMarketer.com).

▶ Sendible (Sendible.com).

Herramientas globales

Empecemos con las herramientas que hacen las veces de paneles gráficos de las conversaciones en los Social Media.

SocialMention (Socialmention.com)

Buscador de conversaciones. Es una herramienta excelente y realmente muy interesante para los profesionales de los Social Media.

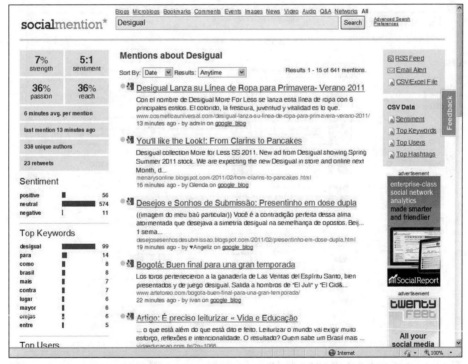

Figura 4.31. SocialMention es una herramienta excelente y realmente muy interesante para los profesionales de los Social Media.

Se basa en un buscador de conversaciones que ofrece enormes posibilidades y que efectúa un análisis en *blogs*, *microblogs*, Social Media y demás fuentes de información Web. Ofrece la posibilidad de realizar búsquedas generales o especificar los lugares de interés, cerrando los resultados sólo, por ejemplo, a Facebook y Flickr. También muestra datos, entre otros, sobre la frecuencia de las menciones, el tiempo transcurrido desde la última mención, los autores únicos y la cantidad de *retweets* encontrados.

How Sociable (Howsociable.com)

Servicio muy sencillo pero muy útil que permite acceder a cifras sobre la visibilidad de un término, marca o empresa en los Social Media. El resultado se puede ver en un panel gráfico que toma 32 plataformas para medir la popularidad del término de búsqueda. Cada concepto introducido dispone de su propia página del tipo (`howsociable.com/concepto`) que puede ser utilizada para siguientes consultas y que resulta ser un modo más rápido y directo de utilizar la herramienta.

Figura 4.32. Los resultados de How Sociable se pueden ver en un panel gráfico que toma 32 plataformas para medir la popularidad del término de búsqueda.

Básicamente el panel ofrece resultados de Facebook, Twitter, Google, Yahoo, Flickr y Youtube, entre otros. Por último, ofrece también la posibilidad de recibir los análisis a través de correo electrónico.

Qwerly (Qwerly.com)

Interesante aplicación considerada como uno de los mejores buscadores de perfiles en los Social Media. Permite, a partir de una cuenta Twitter, descubrir qué otros perfiles sociales están asociados al usuario. De este modo podemos disponer de más información sobre el usuario y además monitorizar su conversación en los Social Media. Entre las plataformas que sondea están las más importantes como Facebook, LinkedIn, Foursquare, Google o Flickr. Además, la página muestra enlaces a otros contenidos creados por el perfil del usuario, sus contactos e incluso dispone de un ranking de usuarios con mayor visibilidad social. Es una herramienta realmente útil ya que facilita enormemente disponer de una visión global del usuario, además de rápida y exacta.

Addict-o-Matic (Addictomatic.com)

Es una aplicación orientada a desarrollar un panel de escucha sobre el concepto que se desee. Para eso crea una página independiente con toda la información correspondiente al criterio de búsqueda. Permite activar y desactivar módulos con las fuentes del contenido, muy al estilo Netvibes. Posibilita la captura de muchos orígenes de fuentes como Google News, Youtube, Twitter, Flickr, Wikio, Yahoo! o Delicious entre otros.

Google Alerts (Google.com/alerts)

Servicio de monitorización de Google que trabaja a través de palabras clave del contenido. Cuando la palabra, término o condición aparece en el contenido publicado, la aplicación avisa a través de un mensaje de alerta por correo electrónico. Sólo debemos establecer una determinada frecuencia de envío de los mensajes (una vez al día, cuando se produzca, o una vez a la semana), así como los conceptos a rastrear. Probablemente una de las herramientas más útiles por su facilidad de uso y efectividad.

Kgbpeople (Kgbpeople.com)

Es, posiblemente, una de las herramientas más potentes de este tipo. Kgbpeople es un buscador de perfiles sociales, tanto de usuarios como de marcas o empresas. Dispone de opciones muy variadas para ajustar las búsquedas y sus resultados son realmente buenos. Hace un análisis del concepto en Social

Media, buscadores, sitios de fotografía y vídeo y en sitios Web. Además permite suscribirse a alertas automáticas que se envían por correo electrónico siempre que haya nuevos resultados de la búsqueda realizada.

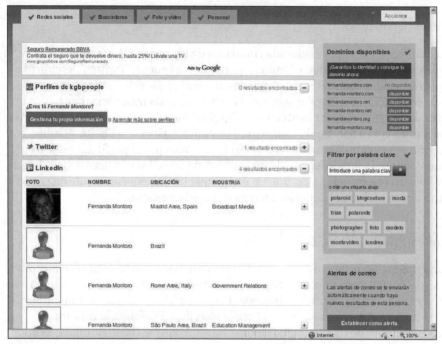

Figura 4.33. Kgbpeople es un buscador de perfiles sociales, tanto de usuarios como de marcas o empresas.

Noteca (Noteca.com)

Gran herramienta especialmente pensada para Community Managers. Permite rastrear los Social Media para medir el grado de influencia creando frases clave, organizando marcas, comunidades, usuarios. Puede trabajar con Facebook, Twitter y *blogs*. También ofrece la posibilidad de crear estadísticas, trabajar en grupo, asignar tareas, crear un CRM con los contactos, etc. Ideal para comenzar.

Herramientas para Facebook

Por el modo en que se genera contenido, se crean relaciones o se consigue la influencia, Facebook es la plataforma Social Media con más posibilidades a la hora de monitorizar y analizar. Por ello es preciso disponer de las herramientas adecuadas.

Open Facebook Search (Openfacebooksearch.com)

Buscador.

Buscador con importantes capacidades para la búsqueda en Facebook desde fuera de su red. Ofrece, ordenadas por tiempo, un listado de las menciones que aparecen en los muros de aquellos usuarios que no tienen restricciones de privacidad. Es ideal para seguir el rastro de términos o conceptos y evaluar la opinión de los usuarios sobre ellos.

Facebook Grader (Facebook.grader.com)

Monitorización de influencia.

Es una aplicación que ayuda a medir el poder, la autoridad y el alcance de un usuario en Facebook. Grader toma en cuenta los amigos del perfil, los grupos a los que pertenece el usuario y el número de fotografías y comentarios del muro. A la vez permite encontrar los usuarios y grupos más influyentes y puede medir también la popularidad de una página. Además ofrece una visión gráfica en una nube de etiquetas de las palabras que más se han utilizado en los diferentes estados, algo que resulta muy importante a la hora de descubrir tendencias. También posibilita el acceso a un listado de los perfiles y grupos más influyentes o incluso buscar personas a través de palabras clave como deporte, Madrid o trabajo, para encontrar perfiles concretos. Muy adecuada para encontrar usuarios con intereses comunes y analizar sus contenidos.

FanGager (Fangager.com)

Monitorización de comunidad.

Servicio que analiza cualquier página en Facebook y ofrece información de valor sobre las visitas, me gustas, comentarios y usuarios más activos dentro del último mes, semana o día. Esto permite monitorizar el nivel de compromiso con la página por parte de los usuarios, de modo que se pueden detectar tendencias, buenos hábitos y soluciones. También las razones por las que una página tiene aumentos o descensos en su crecimiento.

Facebook Lexicon (Facebook.com/lexicon)

Es una herramienta de seguimiento de tendencias a través de conceptos clave que muestra el número de conversaciones disponibles. Esto permite hacer un seguimiento de las tendencias de lo que se publica en los muros, perfiles y grupos de Facebook. Gracias al sistema de gráficos en tiempo real, es posible comparar la viralidad de los términos más populares.

It´s Trending (Itstrending.com)

Se trata de un servicio que permite conocer los detalles del contenido más compartido en Facebook. De este modo es posible monitorizar los últimos vídeos compartidos, las últimas noticias y prácticamente cualquier contenido viral de Facebook. En su página principal ofrece diferentes columnas que incluyen los últimos temas candentes y varias opciones para conocer lo más compartido según diferentes temáticas.

Social Page Evaluator (Evaluator.vitrue.com)

Análisis de ROI.

Interesante aplicación que efectúa una estimación del retorno de la inversión (ROI) generado por una página de Facebook. Es ideal para obtener un análisis aproximado de previsiones o proyecciones basadas en un determinado proyecto social donde intervenga una página en Facebook. Ofrece datos sobre la valoración anual y potencial de la página, comparativa con otras marcas o páginas, proyección del ROI según el número de seguidores e interacciones con sus seguidores.

Conversocial (Profiler.conversocial.com)

Pequeña aplicación, pero muy útil, que permite realizar comparativas de los seguidores y la actividad de una página Facebook. Ofrece datos sobre comentarios publicados, seguidores, me gusta y de la interacción por cada 1.000 *fans*, un índice que cuanto más elevado es muestra una mayor implicación los seguidores con la página. Véase la figura 4.34.

Herramientas para Twitter

Básicamente las herramientas para la monitorización de contenidos en Twitter nos permiten analizar menciones, número de conversaciones, tendencias y, fundamentalmente, medir el nivel de influencia de una persona asignada a una cuenta.

Twitter Analyzer (Twitteranalyzer.com)

Análisis de una cuenta.

Bajo el aspecto algo simple de su página principal se esconde una aplicación que proporciona gran cantidad de datos y estadísticas de cualquier cuenta Twitter.

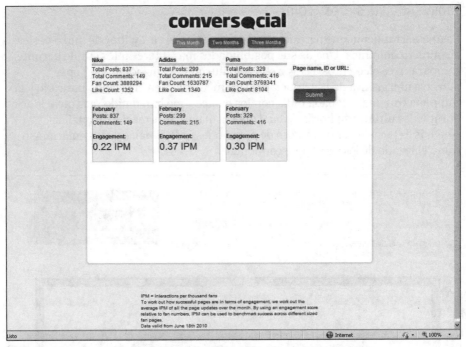

Figura 4.34. Conversocial es una aplicación ideal para realizar comparativas entre empresas.

Basta con introducir el nombre y aparecerá un informe con los *tweets* diarios, *hashtags* más utilizados, seguidores que más mencionan la cuenta y los más mencionados y, entre otros, el perfil profesional de los seguidores.

Hashtags (Hashtags.org)

Herramienta muy potente que permite analizar los detalles de evolución de un *hashtag* (etiqueta) por un periodo de tiempo. Introduciendo el nombre muestra la evolución de sus menciones en Twitter en la última semana. Es imprescindible para esa tarea.

Xefer (Xefer.com/twitter)

Realmente es una aplicación de gran valor y muy agradable en su uso. Su utilidad se basa en ofrecer datos estadísticos, de modo gráfico, con la frecuencia de publicación de una determinada cuenta Twitter. Ofrece detalles, entre otros, sobre los horarios de publicación y los días más activos. Además es capaz de diferenciar entre *tweets*, *retweets* y conversaciones con otros usuarios.

Topsy (Analytics.topsy.com)

Es una herramienta que permite analizar menciones en Twitter de uno o varios términos o dominios. Una de sus posibilidades más interesantes es que permite comparar tres elementos a la vez con sólo introducir sus nombres. Topsy muestra una gráfica de la evolución de las menciones en el período indicado y la completa con una detallada tabla con los enlaces que han tenido más menciones durante las últimas 24 horas, lo cual aporta mayor información al análisis. Además es posible ver el número de menciones individuales de los enlaces así como el listado de los *tweets* que contienen.

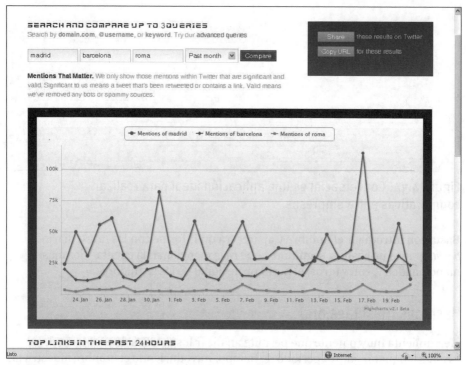

Figura 4.35. Una de las posibilidades más interesantes de Topsy es que permite comparar tres elementos a la vez con sólo introducir sus nombres.

Trendsmap (Trendsmap.com)

Además de ser gráficamente increíble, es también una interesante herramienta de monitorización. Ofrece la posibilidad de analizar temas y tendencias a través de la localización visual sobre un mapa mundial. De este modo muestra los *trending topics* de Twitter situados sobre sus países. También ofrece un listado de quiénes son los usuarios más mencionados así como los vídeos, imágenes y enlaces más populares.

Figura 4.36. Trendsmap ofrece la posibilidad de analizar temas y tendencias a través de la localización visual sobre un mapa mundial.

Twitter Search (Search.twitter.com)

Buscador global.

Buscador muy completo, en el que podemos examinar según palabras concretas, excluirlas, buscar los comentarios referentes a un *hashtag* o a un usuario concreto, efectuar una búsqueda en un área geográfica y en un periodo de tiempo.

Locafollow (Locafollow.com)

Buscador de términos.

Buscador que permite encontrar fácilmente a una persona por su nombre, ubicación, biografía o incluso a través del contenido de los *tweets* que ha escrito.

Tweepz (Tweepz.com)

Buscador de términos.

Rastreador que permite buscar un nombre, la ubicación del usuario o alguna palabra que haya escrito en su biografía. También es posible ajustar los resultados según el número de seguidores o de personas a que sigue y el idioma.

Klout (Klout.com)

Medidor de influencia.

Aplicación que permite analizar la influencia del usuario de una cuenta Twitter. Para ello muestra un informe que detalla puntuaciones como el *Klout Score* (el tamaño y la fuerza del círculo de influencia), *True Reach* (su alcance real), *Amplification* (la probabilidad de sus mensajes generen *retweets* o conversaciones) y *Network* (la influencia de los contactos que interactúan con la cuenta). Es una herramienta muy completa que muestra infinidad de resultados como influenciadores, influenciados, evolución de los parámetros de medida o una clasificación del usuario según su actividad y comportamiento.

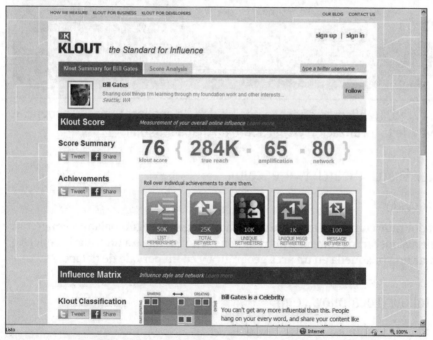

Figura 4.37. Klout muestra los resultados como influenciadores e influenciados.

Follow Friday (Followfriday.com)

Sitio basado en las recomendaciones que se hacen a través de Twitter mediante **#FF o #Follow Friday**. Es una herramienta ideal para conocer cuales son las cuentas más recomendadas en un país o las más recomendadas relacionadas con una palabra clave, tema, ubicación. Ofrece un sistema de puntuación por recomendaciones y un rastreador muy potente que dispone una serie de filtros para facilitar el proceso de búsqueda. Posiblemente sea una de las mejores referencias donde consultar antes de seguir una cuenta o usuario. Dispone de sitios localizados por países y en varios idiomas.

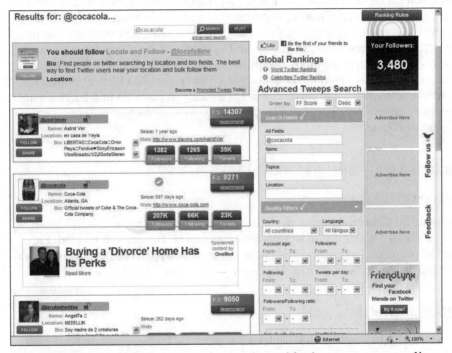

Figura 4.38. Follow Friday es una herramienta ideal para conocer cuáles son las cuentas más recomendadas en un país o las más relacionadas con una palabra clave, tema o ubicación.

Soy Follower (Soyfollower.com)

Directorio temático.

Directorio de cuentas de Twitter que las clasifica por la temática en que se especializan sus contenidos habituales. Es una herramienta interesante a la hora de buscar cuentas usuarios influyentes o de un contenido atrayente de una

determinada temática. Además al acceder a su página principal el directorio
muestra las cuentas más destacadas, las últimas *tags* añadidas y las últimas
cuentas registradas.

Formulists (Formulists.com)

Gestión de listas.

Teniendo en cuenta que la tarea de administrar seguidores y seguidos a través
de listas en Twitter es un proceso lento y a veces complicado, es ideal poder
contar con un servicio como Formulist. Su principal tarea se basa en generar
listas, que guardará en nuestra propia cuenta, de acuerdo a unos parámetros
que previamente le indiquemos. Para ello es necesario acceder con los datos de
la cuenta Twitter que se vaya a gestionar. Dispone también de opciones para
buscar cuentas, filtrar seguidos, administrar seguidores, hacer un seguimiento
de las interacciones o combinar varias listas. Para ello utiliza filtros basados en
el nivel de actividad, cantidad de contactos o palabras clave. Es una herramienta
que puede ofrecer muchas posibilidades a la hora de segmentar y aumentar el
número de contactos.

TwitterGrader (Twittergrader.com)

Medición de influencia.

Mediante un algoritmo propio posibilita medir el nivel de influencia que tiene
un usuario en Twitter según tres parámetros: fuerza, alcance y autoridad. Para
hacerlo asigna una puntuación de hasta 100 puntos, a partir de la cual muestra la
posición de la cuenta en un ranking.

Trendistic (Trendistic.com)

Monitorización.

Es una herramienta especializada en analizar tendencias en Twitter sobre
temas concretos. Permite monitorizar la frecuencia con la que se menciona
un término.

Su funcionamiento es muy simple pero su resultado muy interesante. Basta
con introducir la palabra o frase en la casilla de búsqueda y pulsar el botón
Show trends. El resultado por defecto es un informe del porcentaje de *tweets*
publicados en la última semana, aunque se puede analizar otra frecuencia
de tiempo. También ofrece la opción de comparar varios conceptos en un
mismo gráfico y es posible aumentar la visualización del gráfico simplemente
seleccionando la zona.

Figura 4.39. Trendistic Es una herramienta especializada en analizar tendencias en Twitter sobre temas concretos.

Herramientas para sitios Web y Blogs

El carácter de monitorización de sitios Web y *Blogs* es distinto con respecto a lo que se mide en las plataformas Social Media. En este caso se trata de herramientas que permiten el control de audiencias y la monitorización de contenidos y actividad.

Google Trends (Google.com/trends)

Es una aplicación online nos que ofrece información relevante sobre la tendencia que han tenido ciertas búsquedas a lo largo del tiempo. Es ideal para conocer información de la tendencia que ha seguido un determinado término o una serie de palabras, compararlas y obtener información útil sobre nuevas posibilidades para nuestro contenido. Una de las ventajas de Trends es que permite ver las tendencias de interés de los usuarios permitiéndonos aprovechar los momentos en alza de determinadas palabras para lanzar campañas especiales basadas en ellas. Además los datos pueden exportarse a un fichero con formato Excel, de modo que podamos disponer de una base de datos de resultados interesantes para nuestra labor.

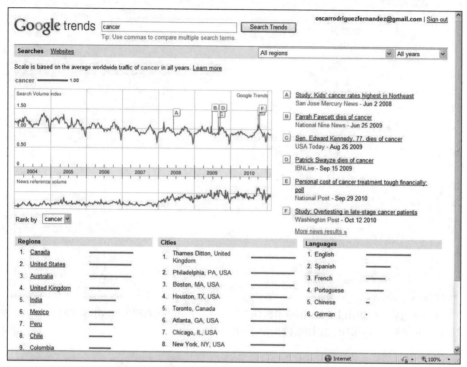

Figura 4.40. Información relevante sobre la tendencia con Google Trends.

BlogPulse (Blogpulse.com)

Imprescindible. Habitualmente se dice que Blogpulse es a los *blogs* lo que Alexa a las páginas Web.

Es una aplicación de Nielsen, compañía líder en análisis estadísticos online, que permite disponer de un sistema automatizado de las tendencias de contenido publicadas en *blogs*.

Basta con crear un perfil para disponer de todo tipo de información sobre nuestro *blog* como datos generales, *posts* publicados, citas, tendencias, fuentes o temáticas similares. Además dispone de información de referencia como enlaces más populares, lo más visto hoy, vídeos del día, lo más enlazado y varias decenas de opciones más.

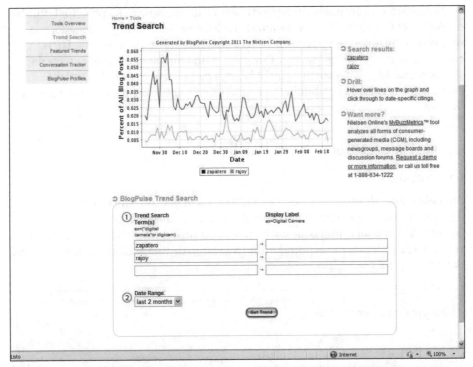

Figura 4.41. BlogPulse es una aplicación líder en análisis estadísticos online. Ofrece además información de referencia como enlaces más populares, los vídeos del día,...

Statbrain (Statbrain.com)

Imprescindible. Es la herramienta ideal para conocer con exactitud la estimación de visitas únicas diarias de cualquier *blog* o sitio Web. Su principal labor es proporcionar datos muy exactos de audiencias pero dispone de otras utilidades para conocer más detalles sobre los sitios. Usa el número de visitas y el ranking de Alexa como referencia. Su uso es muy sencillo, basta con teclear la dirección del sitio a investigar y pulsar sobre la opción **Check**. StatBrain devuelve la cantidad de visitas diarias que tiene ese sitio además de otros indicadores, como la descripción, las palabras claves utilizadas, y la posición en varios *rankings*.

Technorati (Technorati.com)

Se trata de la herramienta de búsqueda y monitorización más importante cuando se habla de *blogs*. Su sistema de análisis se basa en la temporalidad, es decir, su primer argumento para la ordenación de resultados tiene que ver con la fecha de actualización y a continuación tiene en cuenta su relevancia. La principal utilidad de Technorati es que ofrece el contenido de los *blogs* indexado y ordenado, con una simple búsqueda se puede encontrar cualquier término, etiqueta, URL, concepto, persona, categoría, etc. También es una buena herramienta para dar a conocer un *blog* e incluso muy útil a la hora de mejorar el posicionamiento. No hay que olvidar la posibilidad que ofrece de monitorizar búsquedas a través de RSS.

Google Insights (Google.com/insights)

Imprescindible.

Se suele hablar de ella como del "Google Trends mejorado". Insights es una herramienta que posibilita la consulta de las búsquedas más populares en Google. Al introducir una palabra determinada nos indicará las palabras claves relacionadas además de su popularidad a lo largo de una serie de tiempo y en qué países y regiones se utiliza.

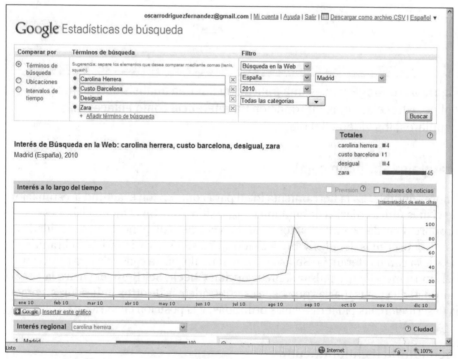

Figura 4.42. Google Insights permite al introducir una palabra determinada obtener las palabras claves relacionadas además de su popularidad a lo largo de una serie de tiempo y en qué países y regiones se utiliza.

Gracias a Insights se puede filtrar la consulta por país, subregión, períodos de tiempo y categorías. Otra de sus funcionalidades es que es posible comparar varias palabras clave para identificar su popularidad y tendencia. Muy interesante esta opción.

Alexa (Alexa.com)

Audiencias y tráfico.

Alexa es un sitio de gran prestigio que recopila información sobre las audiencias de los sitios Web y su tráfico. El sistema de medición se basa en recoger información a través de una aplicación que se instala en los navegadores denominada Alexa Toolbar, lo cual hace posible generar estadísticas acerca de la cantidad de visitas y de los enlaces relacionados. Podríamos decir que es un sistema parecido al que se utiliza en televisión con los audímetros, con la diferencia que en este caso es el usuario el que elige instalar la **Toolbar** sin recibir nada a cambio. Gracias a esto, Alexa puede proporcionar gráficas que muestran la evolución de la audiencia del sitio Web así como información diaria, media semana y media trimestral.

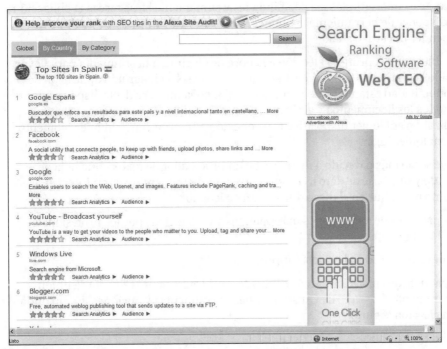

Figura 4.43. Alexa es un sitio de gran prestigio que recopila información sobre las audiencias de los sitios Web y su tráfico.

También permite realizar comparaciones y buscar audiencias por países.
Con toda la información recopilada, Alexa elabora un *ranking* que tiene gran
popularidad entre los gestores de Internet y Redes Sociales. Aunque hay quien
achaca imprecisión y falta de coherencia a en los datos que ofrece, en ocasiones
es utilizado como un estándar para la estimación de audiencias, llegando a tener
cierta influencia a la hora de valorar acuerdos de venta, publicidad, visibilidad,
etc. Sea como fuere, sin duda, es una herramienta a tener muy en cuenta a la hora
de comenzar nuevos proyectos sociales e identificar tendencias y posibilidades
dependiendo de las evoluciones de sitios y contenidos en el *ranking* Alexa.

HERRAMIENTAS DE ACCIÓN. PRODUCCIÓN DE CONTENIDOS

Por suerte, ya ha pasado algo de tiempo y el establecimiento de los Social
Media como algo común ha generado que cada día aparezcan nuevas y mejores
herramientas para la gestión de sus contenidos.

Hoy ya es posible realizar procesos automatizados que hasta hace algún tiempo
podían parecer ciencia ficción y cada día aparecen cientos de nuevas aplicaciones
para ayudar a cumplir tareas o para fortalecer las ya existentes. Pues bien, es
necesario conocer todas las posibilidades y sumar a nuestras tareas la obligación
de disponer de herramientas potentes, versátiles y actualizadas. De ello va a
depender nuestro trabajo.

Posiblemente la primera elección a la hora de elegir una herramienta para llevar
a cabo la gestión de contenidos tiene que ver con seleccionar una aplicación de
productividad estándar que permita trabajar en la nube, es decir disponiendo
de todos los documentos y archivos en un sitio online, de modo que se puedan
utilizar en cualquier dispositivo con conexión a Internet, en cualquier momento y
en cualquier lugar.

Debe ser lo más parecido a disponer de un procesador de textos, una hoja de
cálculo y una base de datos, con sus correspondientes archivos, en Internet. Del
mismo modo que en el disco duro de un ordenador.

Los paquetes de aplicaciones más potentes y reconocidas por los profesionales
son los siguientes:

Google Docs (Google.com/apps).

El paquete de aplicaciones más conocido y utilizado. Sobre todo por la unión
con el cliente de correo de Gmail. Muchas herramientas y opciones. Es sin duda
una elección segura.

Zoho (Zoho.com).

Uno de los más completos sets de aplicaciones de gestión de documentos. Muy
sencillo de utilizar y de gran versatilidad.

OpenGoo.

Muy similar en apariencia a Google Docs y a Zoho, contiene múltiples opciones para organizar todas tus actividades. Es quizá la herramienta más parecida a Google Docs en cuanto a opciones e interfaz.

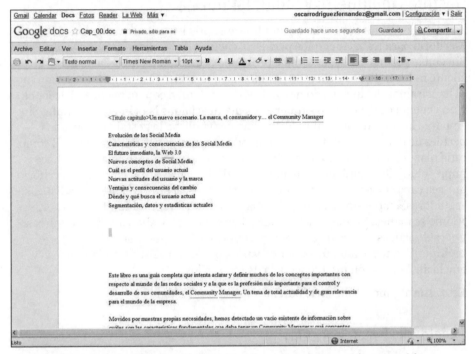

Figura 4.44. Google Docs es el paquete de aplicaciones más conocido y utilizado por los profesionales.

Las herramientas actuales de productividad están disponibles online, en la nube. De este modo se logra la accesibilidad desde cualquier lugar donde exista una conexión Internet, además de ofrecer la posibilidad de compartir los documentos e importarlos y exportarlos sin complicaciones.

Además de la gestión individual de nuestros documentos, imágenes, vídeos, etc. hay otro apartado donde el uso de herramientas adicionales es casi imprescindible. Se trata de la gestión de las plataformas sociales. Sin duda este es uno de los temas más importantes para un Community Manager. Disponer de las aplicaciones adecuadas para gestionar contenidos, cuentas, perfiles, seguidores, imágenes, estadísticas... y un largo etcétera de elementos, es clave. Tan clave como que gran parte del porcentaje de éxito que podamos alcanzar en la producción de una campaña Social Media va a venir dado por la capacidad que tengamos de elegir las herramientas adecuadas para cada actuación y el buen uso que hagamos de ellas. Es así de sencillo y de complicado a la vez.

Gestores multiperfil y multiplataforma

A día de hoy ya no hay nadie que dude que es preciso utilizar un cliente de escritorio para trabajar con los perfiles y cuentas de las plataformas sociales. Sin embargo, una vez resuelto este problema llega el siguiente. ¿Debo tener un cliente independiente para cada plataforma que utilizo? La respuesta es clara, no. Si habláramos de un usuario normal, es decir alguien con un perfil en Facebook y una cuenta en Twitter, ni siquiera nos plantearíamos la primera pregunta. Sin embargo la labor de un Community Manager conlleva la gestión de variados perfiles de distintas plataformas. Teniendo en cuenta que tanto cada perfil como cada plataforma disponen de distintas características y posibilidades, se hace imprescindible, completamente imprescindible, el uso de un cliente de escritorio que sea capaz de gestionar cuentas, perfiles, datos, actualizaciones, estadísticas, seguidores, respuestas... en fin, el trabajo diario de un Community Manager. ¿Cómo se manejan todas esas variables que se cruzan y abarcan distintas áreas y características dentro de distintas plataformas? Con un gestor de escritorio multiperfil, que permita disponer de varios perfiles en distintas plataformas y que facilite la gestión interconectada de todos ellos.

Estos son algunos de los más potentes y de más prestigio.

Tweetdeck (Tweetdeck.com)

Es el más popular de los clientes de escritorio y sus creadores hablan de Tweetdeck como un navegador personal en tiempo real, que conecta con el contenido de Twitter, Facebook, MySpace, LinkedIn, Foursquare, Google Buzz y otras redes sociales. Gracias a él se pueden gestionar múltiples perfiles sociales y además ofrece versiones específicas para Chrome, Android, iPad e iPhone, para que se pueda trabajar en movilidad. Véase la figura 4.45.

Hootsuite (Hootsuite.com)

Con más de un millón de usuarios y bajo un modelo freemiun, es un cliente ideal para la gestión de cuentas de varias campañas y perfiles sociales. Está especializado en Twitter pero soporta Facebook, MySpace, LinkedIn, FourSquare, WordPress, etc. Permite, entre otras muchas, programar publicaciones de contenido, organizar la información, estadísticas, compartir sitios interesantes, acortar direcciones y agregar un *feed* RSS. Dispone también de aplicaciones para iOS, Android y Blackberry. Véase la figura 4.46.

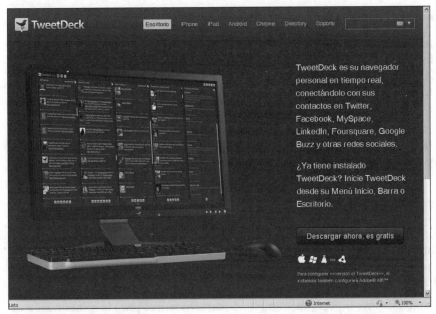

Figura 4.45. Tweetdeck es el más popular de los clientes de escritorio.

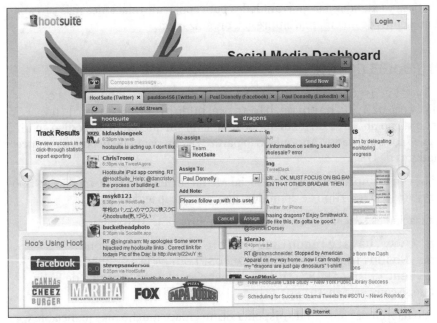

Figura 4.46. Hootsuite es un cliente ideal para la gestión de cuentas de varias campañas y perfiles sociales.

Seesmic (Seesmic.com)

Seesmic es una de las mejores aplicaciones para agrupar la gestión de las plataformas Social Media más habituales. Destaca la integración del soporte múltiple para Twitter, Facebook, LinkedIn, Ping, Foursquare y Google Buzz, por defecto. A la propia tarea de aglutinar todos los contenidos sociales, une también la de administrar y gestionar contactos.

Además dispone de una aplicación online (`Seesmic.com/app`) con características muy similares a las de escritorio y aplicaciones para entornos móviles como iPhone, Android y Blackberry, entre otros.

CoTweet (Cotweet.com)

Dispone de una versión denominada Standard Edition que es gratuita, que únicamente permite la gestión de perfiles en Twitter, mientras que la opción Enterprise Edition añade la posibilidad de administrar también cuentas en Facebook.

Ésta última incluye un conjunto amplio de características para la colaboración de equipos avanzados que ofrece grandes posibilidades para la gestión de Social Media, como facilitar el servicio al cliente, realizar informes, visualizar estadísticas y extender las oportunidades para construir relaciones más cercanas con los clientes de una marca, empresa u organización.

Acortadores de URL

`bit.ly`, `cli.gs`, `is.gd`, `j.mp`, `kl.am`, `su.pr`, `tinyurl.com`, `307.to`, `adjix.com`, `b23.ru`, `bacn.me`, `bloat.me`, `budurl.com`, `clipurl.us`, `cort.as`... no no, no es un texto que se ha colado sin querer, ni un código en un lenguaje "poco utilizado" Aunque no lo parezca es un pequeño listado de quince acortadores de URL.

Y es que con la implantación de los Social Media se han puesto de moda este tipo de servicios, con todo tipo de dominios, nombres y capacidades.

Su utilización es sencilla. Basta coger nuestra dirección URL del tipo:

(`http://www.vayatelaconlasdirecciones.com/que/son/ LargasyNosObligan/Autilizar/OtrosProgramitasParaQuePueda/ SerMasSencillo-448488/`) y pasarla, por ejemplo, por la página de Bit.ly para que se convierta en: (`http://bit.ly/gsP9ij`).

Con esto habremos conseguido disponer de un enlace mucho más manejable y seguirá apuntando a la página original.

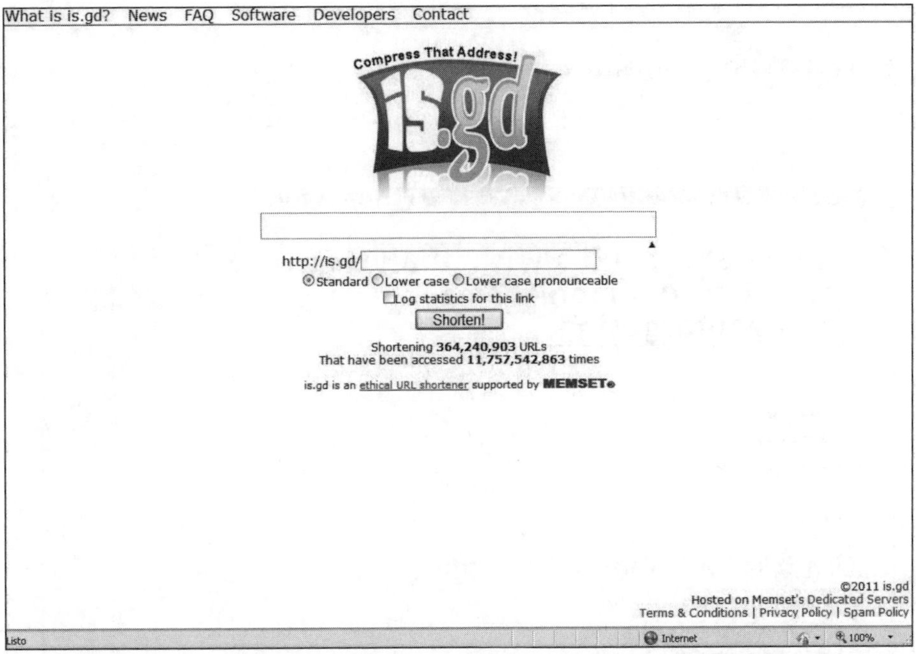

Figura 4.47. Con la implantación de los Social Media se han puesto de moda los acortadores de URL.

Las URL que ofrecen los acortadores no son más que redirecciones automatizadas, es decir, no son indexables por los motores de búsqueda, no tienen *linking* interno alguno. Es por ese motivo por el que son tan populares en sitios de descargas.

Desde el punto de vista de un Community Manager, los acortadores son mucho más que eso, deben realizar muchas más funciones que el simple abreviado de una URL. Fundamentalmente deben ofrecer métricas y estadísticas que apoyen el control de la estrategia de la compaña social. Si elegimos un buen acortador de URLs dispondremos de una herramienta para acceder a estadísticas completas y al profundo análisis de los enlaces compartidos. Una forma más de comprobar si el enlace ha conseguido el objetivo.

¿Qué pasará si un día Twitter decide que la dirección del enlace no cuenta para sumar los 140 caracteres? Pues posiblemente que los acortadores pasarían, como mínimo, a un segundo plano y que dejarían de tener el protagonismo actual.

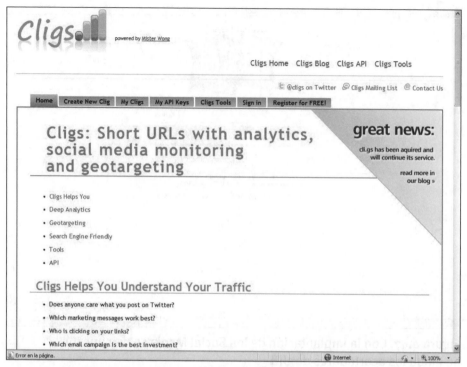

Figura 4.48. Desde el punto de vista de un Community Manager, los acortadores son mucho más que eso, deben realizar muchas más funciones que el simple abreviado de una URL.

Sin embargo no es oro todo lo que reluce. Las dudas de algunos profesionales de los Social Media se centran en una pregunta ¿Realmente es beneficioso el uso de acortadores URL? Pues bien, como casi en cualquier otro dilema, no se puede responder con blanco o negro, pero sí tal vez con un poco de mezcla de los dos.

El gris resultante es la tabla que propongo a continuación, una pequeña reflexión donde se pueden encontrar las ventajas y los inconvenientes de su utilización, dónde y cuando pueden ayudarnos, dónde y cuando pueden molestarnos.

Son las siguientes:

► **Ventajas:**

   ► Como se ha comentado anteriormente, en la actualidad, los acortadores son mucho más que eso. Aportan un valor añadido a la campaña a través de los servicios paralelos estadísticas de visitas, previsualización de páginas, etiquetas, gráficos, etc.

▶ La valoración del usuario de su utilización en los Social Media es alta. Debemos tener en cuenta que en las plataformas Social Media premia la inmediatez, la velocidad y la eficacia.

▶ Cada vez más, los acortadores de URL, tienen sentido y son más necesarios. Una de las razones más importantes es la presencia de los Social Media en dispositivos móviles, es decir, su uso en teléfonos, Netbooks, iPhone, Blackberry, etc, entornos ideales para este servicio.

▶ Su utilización aumenta el denominado "Efecto sorpresa". Es decir, es un modo de generar expectación, ya que el usuario no sabe hacia que sitio va a enlazar ni cual es su temática principal. Por eso se deben utilizar en publicaciones con carácter informal.

▶ Los acortadores se están integrando a marchas forzadas en el día a día de los Social Media. A día de hoy muchos de los cliente Twitter o incluso muchos Widgets realizan la función de acortado de direcciones con rapidez y flexibilidad. Hay que tener en cuenta que hace algún tiempo su utilización era lenta y tediosa.

▶ **Inconvenientes:**

▶ El denominado "Efecto sorpresa" que hemos valorado como una ventaja por alguna de sus características, se puede transformar en un riesgo a la hora de verlo ante la seguridad. Si un usuario no es capaz de saber a qué sitio se va a dirigir, estamos ante un grave problema de seguridad. Un acortador puede ser un arma muy poderosa en manos de alguien con malas intenciones. ¿Quién nos dice que una dirección acortada no apunta a un código Javascript de dudosa seguridad?

▶ Los problemas de seguridad expuestos en el punto anterior llevan a otro muy importante, la falta de confianza. Y eso en los Social Media es un peaje difícil de pagar. Si generamos desconfianza en el usuario posiblemente no le volvamos a ver.

▶ Muchos dudan de un servicio que complica en exceso el simple proceso de compartir un enlace. Al final no deja de ser un servicio intermediario más que puede parecer innecesario e incluso redundante.

▶ La tendencia dice que el sector de los acortadores URL está masificado, es decir, existen muchos protagonistas en escena. Eso va a llevar, tarde o temprano, a que muchos de ellos desaparezcan o se fusionen, con la posible pérdida de enlaces que ello puede causar.

▶ Otro de los contras de estos servicios tiene que ver con la devaluación del branding. Es decir, de poco sirve realizar una campaña bien planificada con un dominio Web corporativo y un blog de contenido, si los enlaces van a ser transmitidos a través de acortadores de URL que hacen desaparecer nombres y claims. Esto hace que las marcas, compañías y campañas con nombres de dominios largos salgan perjudicadas. De ahí que, por ejemplo, StumbleUpon (`Su.pr`) o The New York Times (`Nyti.ms`), hayan creado su propio acortador. Y esto va a ser una tendencia.

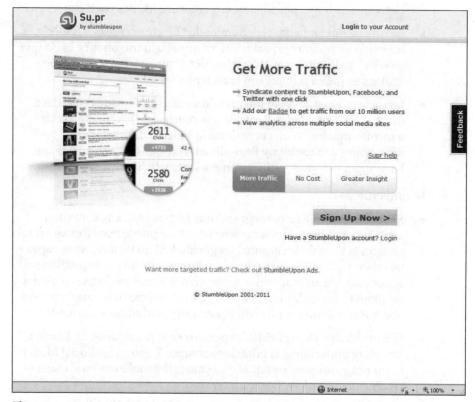

Figura 4.49. Con la intención de que no desaparezcan nombres y claims ya hay compañías que han creado su propia acortador.

Facebook, TechCrunch, StumbleUpon y The New York Times, entre otros muchos, han creado su propio acortador de direcciones para intentar no devaluar su marca utilizando servicios externos. Es una forma de mantener estables sus guías de Branding Social.

Sin embargo el mercado demanda este tipo de servicios y la Web está plagada de ellos. Estos son algunos de los más potentes y más utilizados:

Bit.ly (`Bit.ly`).

Posiblemente sea el acortador más usado en estos momentos. Entre otras, dispone de una opción muy interesante de estadísticas de los usuarios que han pulsado sobre el enlace acortado, que cualquiera puede ver simplemente añadiendo un + a la propia URL corta del enlace (por ejemplo, `http://bit.ly/919VHd+`). Eso sí, a estas estadísticas puede acceder cualquiera. Además de varias herramientas para mejorar sus posibilidades e incluso extensiones especiales para los navegadores más conocidos.

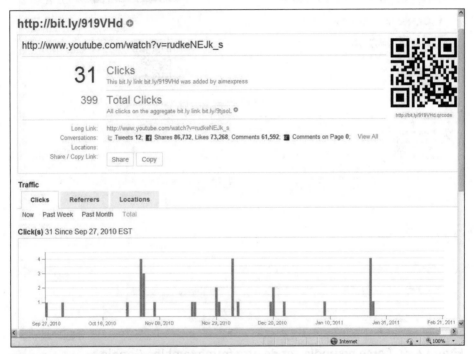

Figura 4.50. Simplemente añadiendo un + a la propia URL corta del enlace se accede a las estadísticas.

Bit.ly es el número uno de los acortadores, fundamentalmente debido a que fue el utilizado por defecto en los enlaces de Twitter.

Tinyurl.com (`http://tinyurl.com/`).

Se dice que es un servicio que "se ha dormido en los laureles" y así lo parece pues, de ser líder indiscutible de uso, ha pasado al segundo lugar. No dispone de ningún servicio adicional al simple acortado de direcciones. Sin embargo, aún sigue redireccionando más de un billón de enlaces al mes, según indican en su página.

Google URL Shortener (Goo.gl).

La apuesta de Google en este mercado. Se dice de él que es el más veloz y que sus métricas son superiores a las de otros acortadores. Pero su principal ventaja se basa en que se integra perfectamente con el resto de servicios de Google. De hecho es posible acceder a estadísticas sobre los enlaces así como conocer la ubicación de los usuarios que los visitaron, con el único requisito de disponer de una cuenta en Google.

Figura 4.51. Como no podía ser de otra forma también Google dispone de su propio acortador.

Cli.gs (Cli.gs).

Muy parecido en características a Bit.ly pero mucho menos conocido. Su principal ventaja es que las estadísticas no se hacen públicas ya que es necesario un registro previo para acceder ellas.

Tr.im (Tr.im).

Es una opción muy fácil de utilizar que presenta un cuadro de texto para introducir la URL y que genera en la misma pantalla la opción corta. Dispone de una opción de registro para poder acceder a los datos y estadísticas.

Ow.ly (`Ow.ly/url/shorten-url`).

Al igual que (Ht.ly) ofrece estadísticas interesantes puesto que antes de acortar la URL permite añadir distintos parámetros al enlace. Las estadísticas de ambos acortadores se muestran a través del panel Hootsuite y si se utiliza junto con esta herramienta permite tener un control total sobre la información. Permite ver el historial de cualquier usuario utilizando la ruta (Ow.ly/user/NombreDeUsuario).

Yep.it (`Yep.it`).

Las opciones de este acortador son las comunes a todos los demás. Difiere de otros en que permite agregar etiquetas a cada una de las direcciones. También dispone de un apartado para las estadísticas de los enlaces generados.

Herramientas para Facebook

Durante los últimos tiempos, y casi desde su nacimiento, Facebook realiza cambios constantes en su política para el desarrollo de aplicaciones y varía con mucha frecuencia las posibilidades de personalización y diseño de las páginas corporativas y de fans.

A principios de 2011 se ha producido una de las mayores actualizaciones de este tipo. Sin embargo, gracias a que la API de Facebook está abierta y permite que cualquier usuario pueda crear sus aplicaciones y mejorar el uso y las posibilidades de páginas y perfiles, existen varias aplicaciones predefinidas que facilitan mucho las tareas de personalización y gestión de contenido.

Una de las características más apreciable de Facebook para gestores de contenidos y desarrolladores es su carácter modular. Es decir, es sencillo colocar y agregar elementos de software pre-desarrollado y unirlos para conseguir el resultado esperado, sin necesidad de grandes conocimientos técnicos.

Estas son algunas aplicaciones y software que resultan imprescindibles para un Community Manager. Todas las que no disponen de URL directa se pueden encontrar en el directorio de aplicaciones de la página oficial de Facebook (`Facebook.com/apps/directory.php`).

Desarrollo y personalización visual

FBML (`Developers.facebook.com/docs/reference/fbml`).

Es una aplicación que permite la creación de aplicaciones personalizadas para Facebook a través del lenguaje FBML (*Facebook Markup Language*). Es una herramienta imprescindible para crear aplicaciones para canvas o pestañas de Facebook. Esta permite integrar nuevas pestañas a una página. El lenguaje FBML vendría a ser cómo el lenguaje HTML pero específico para crear nuevas páginas o aplicaciones en Facebook. Desde finales de 2010, FBML está en proceso de cambio y Facebook está centrando su desarrollo en la utilización de HTML, Javascript y CSS, así como en el uso más intensivo de iFrames.

Static FBML. Aplicación Facebook.

Utilidad muy recomendable que permite utilizar código HTML para crear *landing pages*, pestañas personlizadas y elementos de todo tipo. Es una de las más utilizadas para el desarrollo de perfiles profesionales en Facebook. Es muy popular entre los Community Managers por su sencillo manejo. Además utiliza codificación HTML en la pantalla de creación, lo cual facilita mucho el trabajo y permite una personalización mucho más adecuada.

> Static FBML permite cambiar las pestañas de una página por un iframe que contenga, por ejemplo, la *landing page* o la promoción de una campaña o cualquier otro elemento que forme parte del contenido de la estrategia.

Extended Info (Facebook.com/extendedinfo).

Muy similar a Static FBML pero algo más sencillo de usar. Permite añadir listas, imágenes, videos y otras secciones a las pestañas. Muy útil cuando las secciones propuestas por Facebook no nos alcanzan para cubrir nuestras necesidades.

Pagemodo (Pagemodo.com).

Es un editor de uso muy sencillo. Permite crear una página estática que puede contener imagen, vídeo y texto. Además modifica la tipografía y el color del texto habitual. Todo mediante plantilla. Útil para personalizar la página corporativa o de producto. Véase la figura 4.52.

Miproapps (Miproapps.com).

Se trata de un servicio todo en uno. Permite diseñar una página completamente interactiva simplemente arrastrando y soltando elementos. Es eficaz, fácil de usar y muy rápido.

Profile Maker (Apps.facebook.com/profile-maker).

Aplicación que saca gran partido a uno de los últimos cambios de diseño en el perfil de Facebook, de modo que se aprovecha la foto de perfil y la fila de cinco miniaturas para crear un efecto visual interesante. Véase la figura 4.53.

Plantillas para pestañas (Facebookpagetemplates.com).

Imágenes gratuitas prediseñadas que pueden utilizarse directamente en pestañas FBML de Facebook. Además cuentan con módulo de presentación de imágenes, secciones diferenciadas, enlaces a otros Social Media y algunos otros detalles interesantes. Son páginas completas para pestañas. Véase la figura 4.54.

Figura 4.52. Pagemodo permite crear una página estática
que puede contener imagen, vídeo y texto.

Figura 4.53. Ya es posible realizar interesantes cambios
de diseño en un perfil en Facebook.

Figura 4.54. Imágenes prediseñadas para pestañas.

Pestañas y complementos

Tabsite (Facebooktabsite.com).

Una de las aplicaciones más utilizadas para la creación de pestañas. Facilita la inclusión de imágenes, textos, links, etcétera, sin necesidad de programación. Permite crear múltiples páginas, publicar páginas personalizadas, colocar enlaces, incluir una tienda virtual, insertar un *blog* e incluso añadir enlaces a documento PDF o Word. Dispone de varias versiones según las necesidades.

Tabfusion (Tabfusion.com).

Es una aplicación para la inclusión de pestañas en una página de Facebook. A diferencia de otras utilidades, Tabfusion dispone de una opción preconfigurada para cada pestaña que se desee agregar. Es decir, para cuentas Twitter, Flickr, Youtube o incluso *blogs*.

Twitter App (Apps.facebook.com/twitter).

Es una aplicación muy sencilla que re-postea los tweets de cualquier cuenta Twitter en el estado de una página Facebook. Basta con introducir el nombre de usuario y la contraseña de la cuenta.

Selective Tweets (`Apps.facebook.com/selectivetwitter`).

Permite publicar en el muro de la página Facebook únicamente un grupo de tweets seleccionados, utilizando hashtag #fb.

Blog RSS Feed Reader. Aplicación Facebook.

Permite añadir el contenido de un *blog* a la página Facebook a través de un *feed* RSS o de cualquier otra fuente RSS.

FAQPage (`Facebook.com/faqpage`).

Permite añadir una pestaña con las dudas más frecuentes de los usuarios, las denominadas FAQs. Es una buena opción para ahorrar tiempo a los usuarios y ofrecer soporte de marca.

My Flickr (`Facebook.com/myflickr`).

Muestra las fotografías de un perfil de Flickr en una página o perfil. Además permite comentarlas y etiquetarlas desde la propia página de Facebook.

ContactMe (`http://www.facebook.com/contactforms`).

Añade a las pestañas un formulario de contacto que se puede configurar y personalizar. De este modo es posible que el usuario envíe un correo a una dirección determinada.

Figura 4.55. ContacMe posibilita configurar y personalizar un formulario de contacto.

Tiendas virtuales

Payvment E-commerce Storefront (`Facebook.com/payvment`).

Es quizás la aplicación de comercio electrónico de este tipo más sencilla de utilizar.

Dispone de gran variedad de opciones para poder montar una tienda online a medida de la compañía o el producto. Incluye una área de administración propia para gestionar productos y ventas. Por el momento sólo acepta pago vía PayPal y Payvment.

Vendor - Free e-commerce Shopping Cart (`Apps.facebook.com/facebookvendor`).

Permite montar un carro de la compra en la página Facebook de modo que se puedan ir agregando productos y precios a través de la "store". Esto permite que lo puedan ver los seguidores de la página pudiendo vender y cobrar usando PayPal.

Figura 4.56. Vendor - Free e-commerce Shopping Cart permite montar un carro de la compra en la página Facebook.

InfusedCommerce (`Infusedcommerce.com`).

Es posiblemente una de las opciones actuales disponibles más profesional. Dispone de opciones relevantes para la creación de un entorno de comercio electrónico en Facebook. Permite la integración directa con el TPV virtual de una tienda.

Ecwind (`Ecwid.com`).

Una opción muy simple de implementar y muy sencilla de mantener, sin que eso conlleve que no disponga de opciones más que interesantes. Realmente es una muy buena opción para montar una tienda virtual ya que es un vehículo para facilitar la integración con otra tienda ya existente en otra plataforma, por ejemplo en *blog* WordPress.

LinkedStore (`Apps.facebook.com/linkedstore`).

Es una aplicación de comercio electrónico que funciona a través de una pestaña individual denominada Tienda. Permite disponer de un sitio donde comprar, vender, intercambiar productos e incluso recibir donaciones.

Carttini (`Apps.facebook.com/carttini`).

Aplicación que ofrece grandes posibilidades para montar una tienda virtual en Facebook. Permite vender productos de un catálogo propio e integrar la aplicación con un *blog* o sitio corporativo. Además posibilita la opción de convertirse en *reseller*, vendiendo los productos de su propio catálogo.

Herramientas para Twitter

A día de hoy ya hay millones de cuentas con perfiles de Twitter. En campañas sociales se pueden llegar a usar un gran número de ellas, dependiendo qué tipo de estrategia se haya utilizado.

Por ello es muy necesario disponer de las herramientas adecuadas que ofrezcan soluciones y versatilidad al trabajo diario.

Lo primero es la personalización de la cuenta Twitter. Es imprescindible personalizar sus características estéticas de cara a ajustarlas a la marca o el producto origen de la campaña. Es un paso más para conseguir la diferenciación. Es el único modo de mostrar una imagen adecuada, aunque cada vez sean menos los que utilizan la página alojada en `Twitter.com` para consultar las publicaciones.

Existen cientos de servicios en Internet que ayudan a llevar a cabo el ajuste gráfico de una cuenta Twitter. La mayoría de ellos ofrecen posibilidades para la personalización de la interfaz, como modificar el fondo, los botones, los colores, etc.

Por otro lado, igual de importante, son las herramientas que se usan diariamente. La utilización de un servicio, o varios, para la actualización de perfiles, así como de distintas herramientas para trabajar de una manera mucho más optimizada, es casi imprescindible.

Figura 4.57. Twitter permite insertar una imagen de fondo para personalizar una cuenta.

Existen cientos de aplicaciones para Twitter, cada una con sus ventajas e inconvenientes. A continuación vamos a indicar algunas de las más importantes y que pueden ofrecer un valor añadido al trabajo diario de un Community Manager. Estas son algunos de las aplicaciones más utilizadas y conocidas por su calidad.

Personalización visual

ColourLovers (`Colourlovers.com/themeleon/twitter`).

Es una herramienta online que permite usar los diseños de fondos que tienen en su amplia base de datos de patrones y paletas de colores, para conseguir una personalización de manera muy sencilla.

Figura 4.58. Ofrece una amplia base de datos de patrones y paletas de colores para una rápida personalización.

Twitbacks (Twitbacks.com).

Se trata de un sitio que permite la descarga de plantillas de Powerpoint en blanco para ser modificadas y personalizadas y utilizarlas como imagen de fondo.

My tweet Space (Mytweetspace.com).

Es un generador de fondos que ofrece además una galería de imágenes y botones prediseñados.

Twitbacks (Twitbacks.com).

Dispone de un proceso paso a paso para poder crear un perfil estético en pocos minutos, al que incluso se puede añadir también la información de la cuenta.

Twitter Galery (Twittergallery.com).

Es un directorio de temas clasificados por colores y categorías.

Actualización de perfiles

Ping.fm (`Ping.fm`).

Es un servicio que permite publicar simultáneamente un mensaje en más de 30 plataformas sociales. Lógicamente entre ellos se encuentran los más importantes como Twitter, Facebook, LinkedIn, Flickr, Tumblr, Posterous y Delicious. Es ideal cuando se trabaja con distintas cuentas, plataformas, clientes y productos.

Timely (`Timely.is`).

Es una aplicación que analiza en qué momento hay más actividad en la *timeline* de una cuenta Twitter y que permite analizar este dato en segundo plano. De este modo permite guardar los *tweets* para publicarlos en el mejor momento de las siguientes 24 horas. Es decir, Timely publica los *tweets* cuando detecta un pico alto de actividad para conseguir una actualización con el mayor impacto y visibilidad posible.

Figura 4.59. Timely publica los tweets cuando detecta un pico alto de actividad para conseguir una actualización con el mayor impacto y visibilidad posible.

Twitter Feed (`Twitterfeed.com`).

Es la vinculación perfecta de un *blog* con una cuenta Twitter. A través de los feed RRS generados en cada actualización, la aplicación los publica automáticamente, también en Facebook, en la cuenta Twitter como si de un *tweet* más se tratase. Especialmente interesante para las actualizaciones vinculadas a campañas y estrategias corporativas.

Twuffer (`Twuffer.com`).

Es otro servicio muy interesante para la planificación y publicación de contenidos en Twitter. Permite dejar los mensajes previamente escritos para que sean publicados el día y a la hora indicada. Con su uso se convierte en una herramienta imprescindible, sobre todo cuando se requiere un ritmo constante de publicación y, más aún, cuando las campañas son dirigidas a países con una diferencia horaria importante.

Figura 4.60. Se trata de un servicio muy interesante para la planificación y publicación de contenidos en Twitter. Permite dejar los mensajes previamente escritos para que sean publicados el día y a la hora indicada.

Socialoomph (`Socialoomph.com`).

Se trata de otro servicio de planificación en la publicación de mensajes para los Social Media. Además de en Twitter, Socialoomph actualiza también el estado de páginas Facebook. La característica que distingue al servicio con respecto a otros es que permite el envío automático de mensajes directos de agradecimiento o bienvenida cada vez que se une un nuevo seguidor a la cuenta de Twitter. Además genera alertas en función de palabras claves y puede llevar a cabo una monitorización automática de cada nuevo seguidor.

Utilidades de gestión

Tweet Beep (`Tweetbeep.com`).

Realiza un seguimiento de palabras claves en Twitter con actualizaciones incluso cada hora. Para saber qué se dice de un determinado producto, compañía o marca. También ofrece la posibilidad de registrar si algún usuario está enviando un *tweet* con un enlace referente al contenido de nuestro *blog* o sitio Web, incluso en caso de que lo esté haciendo con un servicio acortador de URLs.

Twtpoll (`Twtpoll.com`).

Uno de los servicios más interesantes para crear encuestas y recoger opiniones de los usuarios seguidores de una cuenta. Una buena forma de motivar seguidores para que opinen sobre un tema determinado.

Twit.pic (`Twit.pic`).

Cuando se habla de Twitter e imágenes, es inevitable que aparezca el nombre del servicio líder de alojamiento multimedia, Twitpic. Es sin duda el servicio más utilizado para compartir fotografías y vídeos vía Twitter ya sea a través del sitio Internet, teléfono móvil o incluso correo electrónico. Está integrado en prácticamente todos los clientes de Twitter, una de las razones por las que es uno de los servicios multimedia más utilizados, nada menos que 17 millones de usuarios. Véase la figura 4.61.

TwtGal (`Twtgal.com`).

Twtgal es un servicio especialmente útil para campañas en las cuales se utilizan un gran número de imágenes de referencia, puesto que permite crear galerías de imágenes para compartir. Es ideal para mostrar, por ejemplo, productos o lugares.

Twerpscan.com (`Twerpscan.com`).

Es ideal para la gestión de campañas que requieren manejar cuentas en las que haya muchos seguidos y seguidores.

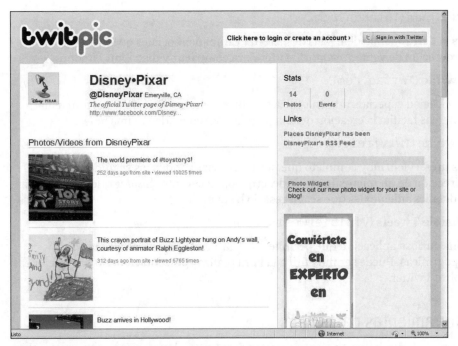

Figura 4.61. El servicio más utilizado para compartir fotografías y vídeos en Twitter.

BackTweets (`Backtweets.com`).

Es una de las mejores herramientas para buscar enlaces abreviados por servicios de acortamiento de URLs como `Tinyurl.com` o `Bit.ly`. De este modo es posible acceder a los enlaces que se están generando en una campaña determinada. Además se integra con las estadísticas de Google Analytics.

Twitscoop (`Twitscoop.com`).

Servicio Web que permite ver, a través de una línea del tiempo, la evolución de las palabras clave más populares de Twitter en tiempo real. El panel de visualización se actualiza en forma automática y permite la búsqueda de temas en segundo plano para acceder a los datos inmediatamente. Como utilidad adicional también ofrece estadísticas de bit.ly en tiempo real.

OneKontest (`Onekontest.com`).

Antes denominado Twtaway, se trata de un servicio con grandes posibilidades a la hora de desarrollar concursos. Se utiliza una cuenta y se utilizan los mensajes agrupados bajo un *hashtag* el cual permite al sistema detectar a los inscritos y la fecha indicada de finalización. Cuando esto ocurre el servicio realiza aleatoriamente la selección del ganador.

TwtQpon (`Twtqpon.com`).

Es la herramienta ideal para desarrollar campañas sociales que precisen la promoción de ventas usando Twitter para compartir y distribuir cupones.

Twtfaq (`Twtfaq.com`).

Aplicación especializada en utilizar Twitter como servicio de soporte al usuario. Además facilita la creación de una página FAQ con vídeos e imágenes.

Twtvite (`Twtvite.com`).

Es un servicio muy completo que permite enviar a todos los seguidores la dirección de un microsite con la descripción del evento, *hashtag* que se debe usar y detalles adicionales que sea necesario transmitir.

Visible Tweets (`Visibletweets.com`).

Una curiosa aplicación que permite mostrar *tweets* a modo de animaciones tipográficas. Puede ser muy útil a la hora realizar presentaciones o proyecciones sobre Twitter.

Herramientas para Blogs

Como se indicaba en un punto anterior del capítulo la creación y, sobre todo, el mantenimiento de un *blog* y sus contenidos es una tarea que requiere esfuerzo y disciplina.

Si la estrategia de contenidos de una campaña Social Media sitúa al *blog* como cabeza visible de los contenidos el trabajo que hay por delante puede llegar a ser abrumador, nada que ver con un simple *blog* personal.

La producción de un *blog* para una campaña Social Media implica una actualización diaria. Esto conlleva la constante búsqueda de ideas de información para poder desarrollar artículos nuevos. La investigación de contenidos también es importante, los temas a escoger y el modelo editorial, también es básico. Un *blog* profesional no se "cierra por vacaciones", es una tarea de envergadura que requiere una constancia total.

Un *blog* que alcanza sus objetivos no depende de nada y depende de todo. No basta con el diseño si el contenido no es adecuado, no basta con un contenido adecuado si no se actualiza correctamente, no basta con actualizar correctamente si no se ofrece visibilidad al contenido,... y así hasta nada y hasta todo.

Un estudio reciente de Mark Schaefer ha podido observar que el *blogging* en general ha evolucionado y ya no se limita a la bitácora personal. Destaca también que hay una gran diferencia entre las grandes compañías y las pequeñas. Mientras sólo el 22 por cien de las empresas del Fortune 500 tienen un *blog*, el 45 por cien de las pymes ya lo tienen.

Figura 4.62. La producción de un blog para una campaña Social Media implica una actualización diaria.

Según la opinión de Schaefer las empresas cuyos *blogs* fueron considerados como los mejores son:

▶ Caterpillar, por su capacidad para resolver problemas al usuario.

▶ Starbucks: por el desarrollo de productos.

▶ Marriot: por la satisfacción de los clientes.

▶ Wegman's: por sus ventas directas.

▶ Manpower: por el liderazgo que demostraron.

▶ General Electric: por su promoción de la marca.

▶ Fiskars: por llamar la atención sobre la marca.

▶ Southwest Airlines: por ser coherente con la imagen corporativa.

▶ Patagonia: por ser un buen complemento de la imagen de marca.

▶ Whole Foods Market: por ser un buen complemento de la imagen de marca y por sus ventas directas.

Con esta muestra, la producción de un *blog* con un contenido de éxito se podría basar en las siguientes reglas:

1. Publicar contenido de calidad con respecto a la estrategia de la campaña.

2. Trabajar con constancia en la actualización y en la gestión de respuestas.

3. Escuchar a la audiencia e interactuar con ella con rapidez.

4. Colaborar con otros Social Media en la producción de contenidos.

5. Trabajar en interconectar el *blog* con el resto de plataformas Social Media.

6. Pensar y ser creativo a la hora de producir y mostrar los contenidos.

7. Analizar al máximo el resultado de cada publicación o cambio de contenido.

8. Actualizar no sólo el contenido sino también los servicios y las herramientas.

Figura 4.63. Un blog depende de muchos elementos, todos ellos interconectados, y eso hace que sea preciso ser fino a la hora de manejar los contenidos de un modo productivo.

Por esta razón, e igual que se hacía referencia anteriormente en las plataformas sociales, la utilización de herramientas adecuadas en el trabajo diario es un elemento clave, mucho más de lo que pueda parecer a simple vista.

Un *blog* depende de muchos elementos, todos ellos interconectados, y eso hace que sea preciso ser fino a la hora de manejar los contenidos de un modo productivo. La producción de contenido de un *blog* conlleva tareas diarias repetitivas como son: escribir *posts*, editarlos y publicarlos, actualizar perfiles sociales, conectar con otros *bloggers*, publicar los *posts* en agregadores de contenidos, revisar mensajes de correo, responder mensajes de correo, seguir y responder a los comentarios, etc. Si a eso le unimos el carácter modular de los *blogs*, veremos que debemos disponer de aplicaciones y herramientas que permitan añadir cualquier tipo de funcionalidad y contenido a la plataforma.

Pues bien, a continuación hacemos una referencia a algunas aplicaciones y utilidades que resultan imprescindibles para un Community Manager que deba producir y actualizar un *blog*.

Sistemas de gestión de contenidos (CMS)

WordPress (`WordPress.org`).

Es el sistema de gestión de contenidos más extendido en el mundo. Permite una instalación rápida y sencilla siempre que contemos con ciertos requisitos del proveedor de *hosting*. Además ofrece una actualización y personalización muy sencillas. También dispone de una amplia documentación y versiones en un gran número de idiomas. Para su manejo básico no requiere de conocimientos de programación, aunque en caso de trabajar en tareas de personalización y adaptación es necesario PHP, CSS y MySQL. WordPress es una aplicación Open Source bajo una licencia GPL y de código modificable. Es gratuito.

Joomla (`Joomla.org`).

Es el segundo gestor de contenidos más utilizado de Internet. Ofrece interesantes opciones de personalización, es potente y muy versátil. A partir de una plantilla se puede desarrollar un *blog* completo sin necesidad de programas auxiliares ni de conocimientos especiales de diseño y de programación. Todas las tareas de edición y administración se realizan a través del navegador. Joomla es una aplicación Open Source o de código abierto programada en lenguaje PHP bajo una licencia GPL y que utiliza una base de datos MySQL para almacenar el contenido y los parámetros de configuración del sitio. Además de libre, es gratuito.

Drupal (`Drupal.org`).

Drupal es un sistema de gestión de contenido modular. Destaca por ser muy configurable y por sus capacidades de administración de usuarios y permisos. Es un sistema dinámico, es decir, el contenido es almacenado en una base de datos y puede ser modificado utilizando un simple navegador. Es un programa libre, con licencia GNU/GPL, escrito en PHP y desarrollado y mantenido por una comunidad de usuarios.

Figura 4.64. A partir de una plantilla de Joomla se puede desarrollar un *blog* completo sin necesidad de programas auxiliares ni de conocimientos especiales de diseño y de programación.

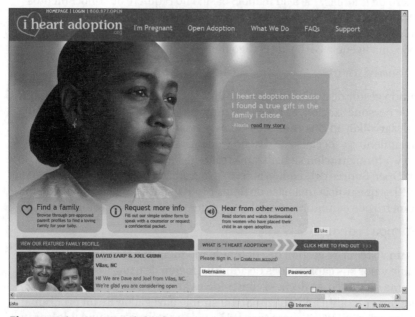

Figura 4.65. A pesar del liderazgo de WordPress Drupal está siendo adoptada por muchas asociaciones sin ánimo de lucro.

Personalización visual

Las posibilidades de personalización de un *blog* pasan por trabajar en la construcción en un *Theme* propio o bien adaptar una plantilla profesional prediseñada. Cada vez son más los que se deciden por la segunda opción ya que existen en la actualidad grupos de creativos y programadores trabajando en el constante desarrollo de plantillas de gran calidad.

En los siguientes sitios se pueden encontrar actualizaciones constantes de *Themes* prediseñados con todo tipo de capacidades y opciones de personalización. Basta con echar un vistazo a la galería para ver desarrollos muy interesantes con acabados muy profesionales.

- ▶ Themeforest. (`Themeforest.net`).
- ▶ TemplateMonster. (`Templatemonster.com`).
- ▶ CMStheme.net. (`Cmstheme.net`).
- ▶ Ithemes.com. (`Ithemes.com`).

Herramientas de productividad

Evernote (`Evernote.com`).

Evernote es posiblemente la aplicación online más productiva para un Community Manager. La denominan "la extensión perfecta del cerebro", y no exageran. Básicamente es una herramienta de archivado que permite guardar texto, sitios Web, notas de voz, imágenes, archivos, etc. Es ideal para la tarea de investigación y consulta, ya que es un cajón desastre con enormes posibilidades de organización a través de carpetas y etiquetas. Además combina a la perfección con sus aplicaciones para dispositivos móviles como Blackberry, Windows Mobile, iPhone, iPod Touch, etc. Véase la figura 4.66.

Google Calendar (`Google.com`).

Servicio de Google que permite disponer de una agenda online con las responsabilidades y tareas ordenadas por temas, horas y colores. Es ideal para trabajar frente al ordenador y para reconocer qué tarea es la que se debe hacer en cada momento. Es la mejor forma de crear una rutina de trabajo normalizada y bajo unos parámetros muy especiales como son los de un Community Manager. Para acceder a Calendar es necesario disponer de una cuenta en Google.

Online StopWatch (`Online-stopwatch.com`).

Es una aplicación online igual de simple que de útil. Se trata de un cronómetro que puede ser utilizado de modo normal o en modo cuenta atrás. Esta una herramienta ideal si se utiliza combinada con Google Calendar.

Figura 4.66. Evernote es posiblemente la aplicación online más productiva para un Community Manager.

Google Reader (`Google.com`).

Posiblemente sea la mejor forma de estar informado y más actualizado sobre lo que ocurre en Internet. Es el agregador de fuentes RSS por excelencia, permite leer todas las fuentes de información desde en una única pantalla, sin necesidad de visitar *blogs* o sitios Web. Es el sistema más rápido para informarse. Para acceder a Reader debe disponer de una cuenta en Google. Véase la figura 4.67.

Delicious (`Delicious.com`).

Es un sitio online especialmente indicado para almacenar de forma ordenada las direcciones de Internet. Un servicio muy simple pero muy valorado por su utilidad. Es ideal para disponer de un directorio propio de sitios favoritos en Internet, que estén disponibles en cualquier dispositivo con acceso a Internet.

Dropbox (`Dropbox.com`).

Un sitio que funciona como que un disco duro, pero online, en la nube. Permite disponer de varios *Gigabites* de almacenaje para guardar todo tipo de archivos. El proceso se facilita con la creación de carpetas y el etiquetado de los archivos. Se puede acceder desde cualquier ordenador y muchos dispositivos móviles con conexión a Internet que tengan instalada la aplicación. Véase la figura 4.68.

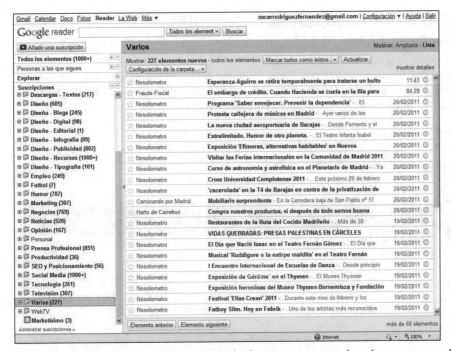

Figura 4.67. Reader es el agregador de fuentes por excelencia, para acceder a él es necesario tener una cuenta en Google.

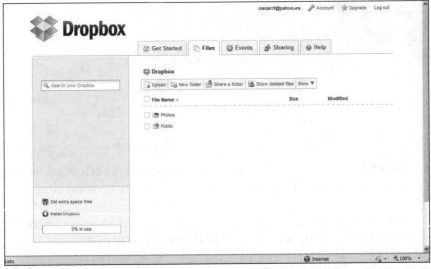

Figura 4.68. Dropbox funciona como un disco duro pero de forma online. El proceso se facilita con la creación de carpetas y etiquetado de los archivos.

CÓMO LA SINDICACIÓN DE CONTENIDOS BENEFICIA LA VISIBILIDAD

La suscripción o sindicación al contenido por parte del usuario, sea cual sea su origen (blog, Facebook, Twitter) se realiza habitualmente a través de un sistema, que se ha convertido en un estándar, que se denomina RSS.

Cualquier usuario puede seguir las novedades de una fuente Social Media que publique contenidos en formato RSS.

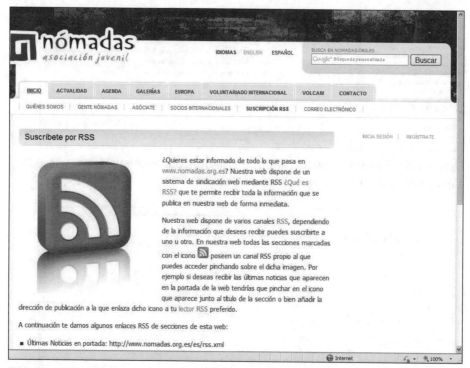

Figura 4.69. RSS se utiliza para enviar a los suscriptores las actualizaciones de un determinado contenido, por ejemplo los nuevos posts de un blog.

Básicamente RSS (*Rich Site Summary y Really Simple Syndication*) es una familia de formatos de fuentes Web codificados en XML que se utiliza para enviar a los suscriptores las actualizaciones de un determinado contenido, por ejemplo los nuevos *posts* de un *blog*. Este formato permite distribuir contenido sin necesidad de que el usuario tenga que consultarlo desde un navegador. Es más, su principal ventaja es que puede gestionarse a través de aplicaciones independientes, denominadas agregadores, que permiten una mejor administración y control del contenido.

Es posible que el usuario tenga constancia de la actualización de los contenidos publicados en los Social Media de una forma más asequible: gracias a la sindicación, un proceso por el cual un productor de contenidos proporciona información en formato digital a un conjunto de suscriptores.

Normalmente la fuente Web de un RSS es un formato de texto, estándar, que sirve para distribuir titulares y contenidos (normalmente pequeñas imágenes de apoyo, audios y vídeos) de forma totalmente automatizada. Su función es la de mostrar un sumario o índice con los contenidos y reseñas que se han publicado en un *blog* o una plataforma social, sin necesidad de visitar el sitio de origen.

Gracias a los agregadores, también llamados lectores de *feeds* que permiten leer las fuentes RSS se pueden obtener resúmenes de todos los Social Media que dispongan de esa posibilidad, la gran mayoría. De este modo no es necesario enviar la información al usuario, le llega directamente a su aplicación.

Como se puede suponer, es una herramienta muy interesante para añadir a una estrategia social. De hecho, es una de las mejores fórmulas que se puede ofrecer a un usuario para mantenerle al corriente de las novedades que se publican. Hay que tener en cuenta que para un usuario de Social Media cualquiera mantenerse al corriente de las novedades que se publican, por ejemplo en una decena de *blogs*, Facebook, Twitter y Linkedin, todos los días requiere una dedicación considerable si se hace accediendo directamente a cada uno de los sitios Web correspondientes.

Gracias a las características que ofrece RSS ofrecemos al usuario la posibilidad de estar constantemente suscrito a nuestras fuentes de contenidos, ya sea un *blog*, Facebook o Twitter, de modo que los reciba directamente y esté siempre actualizado.

RSS para el Community Manager

¿Cómo puede ayudarnos RSS en nuestra tarea diaria? Muy sencillo. La sindicación es la mejor fórmula para disponer de la mayor cantidad de contenidos posibles organizados y actualizados, sin que sea necesaria tu intervención en el proceso. Un agregador es el mejor amigo de un Community Manager. Con su utilización diaria se convierte, no sólo en una aplicación donde el contenido llega y se organiza, sino en un panel de trabajo donde la información se filtra, se etiqueta, se categoriza, se selecciona, se distribuye y se comparte. Todo desde el mismo lugar. Con esto no hay mucho más que decir.

Actualmente disponemos de varias posibilidades a la hora de elegir un agregador RSS como base para consultar contenidos. Normalmente, antes de elegir un agregador RSS es preciso tomar dos decisiones. La primera de ellas tiene que ver con si debemos utilizar una herramienta online o bien una de escritorio. La segunda decisión tiene que ver propiamente con la herramienta, es decir, qué aplicación y de qué empresa, debemos utilizar. Pues bien, en el primer caso no hay mucha duda, aunque todo depende siempre de las necesidades.

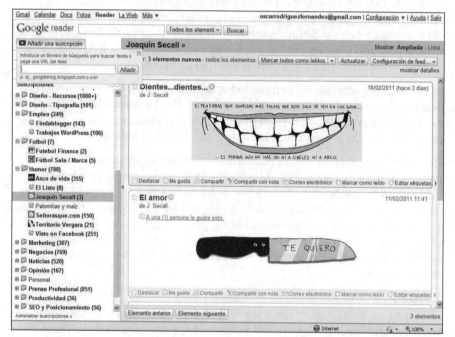

Figura 4.70. Un agregador es el mejor amigo de un Community Manager. Con su utilización diaria se convierte, no sólo en una aplicación donde el contenido llega y se organiza, sino en un panel de trabajo donde la información se filtra, se etiqueta, se categoriza,...

Una aplicación agregadora trabaja buscando en la Web los últimos contenidos basados en código RSS. Cuando encuentra un nuevo *post*, *tweet*, actualización de perfil o noticia añade el *feed* a su sistema con el título del elemento resumido, que a su vez hace de enlace para poder acceder inmediatamente a la fuente de origen.

Hay dos tipos de agregadores: los programas online basados en la Web o los de escritorio. Los de escritorio son habitualmente de pago ya que cobran cierta cantidad (normalmente pequeña) por la utilización de sus servicios, actualizaciones y parches. Su principal desventaja tiene que ver curiosamente con una de sus principales características, deben ser instalados en un ordenador, Ipad, Netbook o cualquier otro aparato físico, por lo que los contenidos quedan guardados en él. Es decir, es necesario disponer de ese aparato para poder actualizar y consultar los contenidos RSS. Sin embargo los agregadores online son gratuitos. Basta con registrarse y ya se puede comenzar a trabajar con ellos. Su principal ventaja tiene que ver con la versatilidad que ofrecen a la hora de ser consultados ya que se puede hacer desde cualquier dispositivo que disponga de conexión a Internet y un navegador. Y esto, hoy en día es un valor incuestionable. Teniendo en cuenta que en la mayoría de las ocasiones nuestras labores asociadas a los Social Media se realizan en movilidad, la opción de decantarse por un agregador de escritorio queda descartada. Un Community Manager no puede permitirse el lujo de no poder disponer de sus fuentes de consulta en cualquier momento y en cualquier lugar. Hay que tener en cuenta, además, que a día de hoy no se dispone ni de un sitio fijo de trabajo ni de un horario estándar. ¿A quién no le ha ocurrido aquello de dejarse un trabajo en el disco duro del ordenador de la oficina que pensaba continuar en casa? Pues bien, eso es algo que no puede ocurrir cuando se trabaja por y para Internet.

Es tal la importancia actual de los contenidos RSS que Microsoft planea incluir un agregador en su próxima versión de Windows.

Despejada la primera duda, vamos con la segunda. ¿Qué agregador y de qué empresa? Aunque pueda resultar una respuesta cruel e injusta, que posiblemente lo sea, las posibilidades de elección no son muchas, incluso yo diría que sólo una. A día de hoy hay pocos actores en el mundo de la sindicación online y el líder indiscutible es Google Reader, ya que a lo largo de los años sus competidores han ido sucumbiendo a sus capacidades y nuevas implementaciones. De hecho se puede decir que Google Reader se ha convertido en la aplicación online estándar para la gestión de *feeds* y fuentes RSS, fundamentalmente porque cuenta con todo el apoyo de una compañía como Google y porque son constantes sus novedades y mejoras. Por si esto fuera poco, el profesional que decida utilizar un agregador de escritorio también cuenta con una versión denominada Desktop Google Reader que sincroniza los contenidos y trabaja a la perfección con su hermana mayor Web.

A pesar del liderazgo indiscutible de Google Reader como agregador RSS, existen algunas alternativas interesantes que conviene probar. Son: NewsBlur (`Newsblur.com`), Netvibes (`Netvibes.com`), Feedingo (`Feedingo.com`).

¿Por qué este liderazgo? Básicamente por lo que ya se ha dicho. Buenas capacidades, actualizaciones constantes, implementaciones requeridas por el usuario, en resumen, constante innovación.

Estas son algunas de sus características más importantes:

▶ Está disponible online, es decir es una aplicación basada en la Web.

▶ No precisa instalación ni requerimientos técnicos especiales.

▶ Trabaja con todo tipo de plataformas (teléfonos, Blackberry, iPhone, PDAs, etc.) que soporten XHTML.

▶ Es una aplicación muy robusta.

▶ Permite agrupar suscripciones.

▶ Se actualiza constantemente.

▶ Permite compartir suscripciones en los Social Media.

▶ Facilita la importación y exportación de las suscripciones al formato OPML.

▶ Está disponible en decenas de idiomas.

5. Tomar el control y evaluar los resultados obtenidos

Quien haya trabajado en un entorno *online*, seguro que ha oído hablar de conceptos como el "SEO" o la "Analítica Web". Pero, ¿hasta qué punto están relacionados?

Sin duda, todo aquel que ha creado un *blog* o un sitio Web a nivel profesional se ha preocupado, por un lado por obtener un buen posicionamiento en los buscadores (SEO) y por otro en obtener informes a cerca de la recopilación de datos la métrica. Entonces... ¿Por qué en tantas ocasiones se descuida algo de tanta importancia para un Community Manager?

POSICIONAMIENTO NATURAL, SEO

El posicionamiento de un sitio Web en Google (es el más utilizado y casi sin competencia alguna) es un factor clave para el éxito del contenido social en Internet. El objetivo es, siempre, tener una mayor presencia en Internet que otras marcas o empresas, y conseguir que nuestro contenido sea encontrado con facilidad y rapidez.

Básicamente el SEO (Search Engine Optimization) consiste en un conjunto de técnicas, y el proceso de llevarlas a cabo, que permiten incrementar la visibilidad del contenido y aumentar el tráfico de un sitio Web o una plataforma cualquiera (*blog*, sitio en Facebook, etc). Por lo tanto, del algún, modo su principal función respecto al usuario es clara: ayudar a la conseguir visibilidad y captar *leads*.

Figura 5.1. El posicionamiento de un sitio Web en Google es un factor clave para el éxito del contenido social en Internet.

El SEO está orientado a captar el tráfico de los usuarios que están buscando contenidos, servicios, productos o simplemente pasar el rato.

El SEO define más un plan estratégico que una labor. Para ello es necesario analizar la utilización de títulos, textos, la repetición de determinadas palabras claves, enlaces entrantes, enlaces salientes, etc.

El SEO es una labor muy especializada que todo Community Manager debe entender como parte de su responsabilidad. En los Social Media su principal función se hace a través del *blog*, que habitualmente es el centro del contenido del proyecto.

El usuario social hace uso de Google para buscar contenidos, servicios o productos y lo busca en combinación con el nombre de marcas. Si hay más usuarios que van a buscar "Zapatillas" en combinación con "Nike", la campaña de Nike mejora su posición cuando se lleva a cabo la búsqueda genérica de "Zapatillas".

Figura 5.2. Si hay muchos usuarios que van a buscar "Zapatillas" en combinación con "Nike", la campaña de Nike mejora su posición cuando se lleva a cabo la búsqueda genérica de "Zapatillas".

Para un Community Manager estudiar, por ejemplo, qué comportamiento tienen las visitas de unas determinadas palabras, frente a otras, les permite conocer mejor el perfil de los usuarios que han hecho esas búsquedas, y saber si los contenidos que han encontrado responden a las expectativas con las que iniciaron su búsqueda.

A día de hoy, con la aparición de los Social Media, el SEO no tiene sentido sin la ayuda de otro tipo de acciones como el SEM (Search Engine Marketing) y el SMO (Social Media Optimization).

La aparición de las Social Media y su integración en los sistemas de comunicación de los usuarios en Internet, ha generado un gran cambio en el mundo del posicionamiento en buscadores. Son muchos los que se atreven ya a afirmar que, tal como lo conocemos ahora, el SEO (Search Engine Optimization) ha muerto. Sin embargo, puede que sólo se trate de una evolución, de un camino que lo está llevando a integrarse de una forma más dinámica con los últimos avances de los Social Media y el *branding* social. Posiblemente el siguiente paso natural del SEO sea la adaptación al SMO (Social Media Optimization).

Figura 5.3. Posiblemente el siguiente paso natural del SEO sea la adaptación al SMO (Social Media Optimization).

Con la aparición de Google Instant, a través del cual se modifican en tiempo real los resultados de la búsqueda según el usuario teclea, la compañía ha pretendido mejorar la calidad de los resultados de cara a los usuarios, pero no ha sido de gran ayuda para el SEO.

En los últimos tiempos ha aparecido el concepto de SEO natural, es decir, el posicionamiento a través de crear contenido relevante al respecto de una determinada temática. Es una fórmula para mejorar el volumen y la calidad del tráfico a través de los resultados "naturales" (no pagados) de los buscadores.

¿Qué beneficios puede aportar el SEO natural a una campaña Social Media? Éstos son algunos de ellos:

► Aumento de visitas. Si tras la búsqueda que realiza un usuario en Google, aparece el contenido de nuestro *blog* o un enlace a nuestro perfil en Flickr, las probabilidades de que los visite aumentan en gran porcentaje. Eso aportará mayor visibilidad a una campaña.

► Mayores probabilidades de venta. El usuario que utiliza un buscador está interesado en encontrar contenidos, pero también servicios asociados.

► Mayor temporalidad. Los resultados perdurarán más en el tiempo que cualquier acción de SMO o SEM.

► Mejor imagen. Existe una gran confianza en los resultados que ofrece, por ejemplo, Google, en los primeros lugares, ya que se identifica con productos o marcas importantes.

► Menor inversión. Pagar por publicidad es más costoso que situar el contenido en los primeros puestos del buscador.

El conseguir posicionar bien el contenido en Google significa un aumento importante de la visibilidad y del tráfico de una campaña.

Lo primero que hay que hacer cuando se piensa en un trabajo de SEO es definir el mercado objetivo hacia el cual se está enfocado la campaña. Por esta razón es importante:

► **Definir el enfoque del negocio**. No se puede abarcar todo.

► **Establecer objetivos**. Qué quiere hacer el cliente y por qué.

► **Delimitar el alcance del proyecto**. En este caso, no se trata de metas, sino del compromiso que se va a adquirir. Hay que tener en cuenta que el alcance del proyecto (compromiso) no es lo mismo que los objetivos (metas).

► **Estrategia**. La estrategia es un conjunto de acciones que buscan un fin. Es fundamental saber qué se quiere comunicar y cómo se está haciendo. Si lo mejor es el marketing tradicional o marketing digital, estrategia puntual o global... Sin duda, son muchas las cuestiones que hay que estudiar a la hora de poner en marcha una campaña de marketing.

► **Conocer al cliente**. El perfil de usuarios y clientes es fundamental, aunque también lo es conocer a la competencia, así como su estrategia de posicionamiento en Internet.

► **Estructura del *blog***. Es muy importante tener en cuenta aspectos como la navegabilidad (¿es fácil encontrar la información deseada?, ¿refleja la imagen que se pretende mostrar?), y también la estructura de la URL (intentar que el dominio sea claro y sencillo) y *metatags* (deben incluir la información relevante y de referencia).

Figura 5.4. Jerarquizar la información es una variable que se debe tener en cuenta a la hora de facilita la experiencia de usuario y ofrecer calidad gráfica al usuario.

▶ **Definir los *keywords*.** No sólo es cuestión de elegir palabras, sino también conceptos clave. Se trata de seleccionar las combinaciones de palabras que forman frases lo más parecidas a lo que los usuarios buscan a través de los buscadores. Sin duda, hay que ponerse en la piel del posible cliente.

▶ **Control del contenido.** No sólo debemos pensar en los post que vamos a publicar, que también, sino en detalles como el título que se le ha dado al *blog* o "*title*", muy importante, en primer lugar porque es un buen gancho para que el usuario se interese por el contenido, digamos que es el eslogan de venta; en segundo, porque los buscadores lo consideran un *metatag* a la hora de jerarquizar la información y, por último, porque quizás haya usuarios que accedan a través de sitios donde únicamente consta el título. Además del título, es importante incluir una corta y correcta definición del sitio.

▶ **Calidad vs Cantidad.** Calidad y cantidad no tienen por qué ser enemigos. El SEO se ha entendido casi siempre mal, es decir, como un plan que se dirige a la cantidad y no a la calidad. Pero, al fin y al cabo, el árbitro, el que va a marcar lo uno o lo otro, será usuario. El SEO es una valiosa herramienta. Responde a estímulos de los usuarios, y en la medida en que su contenido sea valorado por ellos, alcanzará niveles de popularidad importantes. Será dicho usuario el que interactúe con el contenido y, por tanto, el que lo califique. Así que, ¿por qué no? Cantidad y calidad pueden ir de la mano si se ha establecido un correcto plan SEO.

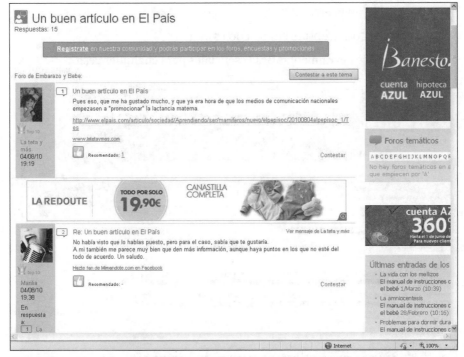

Figura 5.5. El SEO es una valiosa herramienta. Responde a estímulos de los usuarios, y en la medida en que su contenido sea valorado por ellos, alcanzará niveles de popularidad importantes.

Herramientas SEO

¿Cuál puede ser el mejor modo de impulsar un *blog* en su posición de Google? ¿Qué palabras clave es preciso utilizar? ¿Qué herramientas se pueden utilizar para mejorar la calidad de los enlaces de vuelta, la popularidad de enlaces y el Google PageRank?

Con el siguiente listado es mucho más sencillo responder a estas preguntas. Son herramientas que deben servir al Community Manager para desarrollar una estrategia SEO adecuada.

Control de datos

▶ Google Analytics.

(Google.com/analytics).

También para un gestor SEO esta herramienta es de la más importante, ya permite controlar todo tipo de dato estadístico.

▶ Google Webmaster Tools.

(Google.com/webmasters/tools).

Un grupo de herramientas SEO esenciales para cualquier gestor.

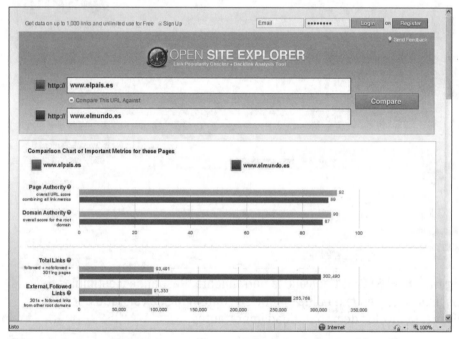

Figura 5.6. Open Site Explorer ofrece, entre otros, información acerca del número de enlaces que se reciben y de su calidad.

Enlaces

▶ Open Site Explorer.

(Opensiteexplorer.org).

Permite tener una amplia información acerca del número de enlaces que se reciben y de su calidad.

- ▶ Majestic SEO.

  (`Majesticseo.com`).

  Estudio de los enlaces al sitio Web o *blog* y la calidad de estos. Muy usada por especialistas SEO y de muy fácil manejo con mucha información relevante.

- ▶ Touch Graph.

  (`Touchgraph.com`).

  Herramienta gráfica que muestra la red de enlaces entre sitios, a través de la base de datos de Google.

Comparación

- ▶ Blog Juice Calculator.

  (`Text-link-ads.com/blog_juice`).

  Permite comparar un *blog* con otros competidores basándose en las suscripciones RSS, datos de Alexa, ranking de Technorati así como en los enlaces.

- ▶ Multi-Rank Checker.

  (`Iwebtool.com/multirank`).

  A través de esta herramienta se puede analizar el Page Rank de Google y Alexa para varios sitios al mismo tiempo.

- ▶ Compete.

  (`Siteanalytics.compete.com`).

  Permite analizar la diferencia entre el crecimiento de dos o más sitios Web, incluyendo la historia del tráfico del sitio y los análisis de la competencia. Véase la figura 5.7.

Posición en rankings

- ▶ Xinu Returns.

  (`Xinureturns.com`).

  Muestra la situación de un sitio Web en los motores de búsqueda más populares, marcadores sociales y otras estadísticas de sitios. Véase la figura 5.8.

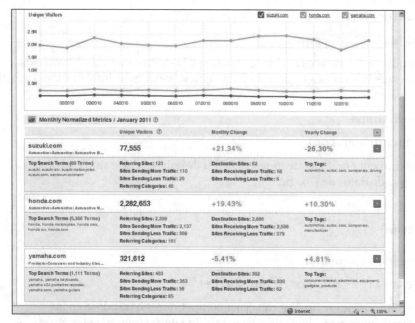

Figura 5.7. Compete es una herramienta que permite analizar la diferencia de crecimiento de dos o más sitios Web.

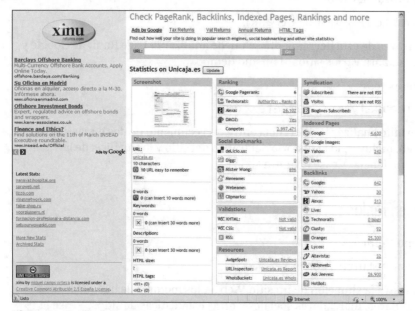

Figura 5.8. Xinu Returns muestra la situación de un sitio Web en los marcadores sociales y en los motores de búsqueda más importantes.

- ▶ SEO Tool.

  (`seomoz.org/rank-checker`).

  Muestra el ranking de un sitio Web.

- ▶ Web Advanced Ranking Tool.

  (`Advancedwebranking.com`).

  Para saber en qué posición se encuentran las palabras clave objetivo de la estrategia del Social Media Plan.

Palabras clave

- ▶ KeywordSpy.

  (`Keywordspy.com`).

  Permite encontrar cuáles son las palabras clave que usa la competencia.

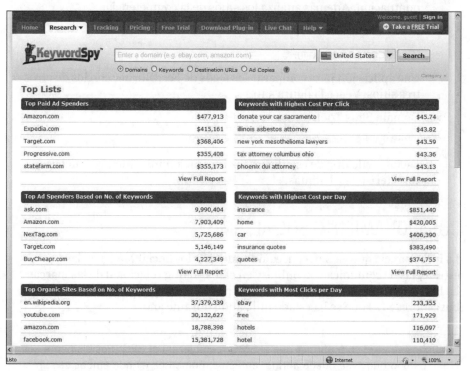

Figura 5.9. Con la herramienta KeywordSpy se pueden encontrar fácilmente las palabras clave de la competencia.

▶ Keyword Density Tool.

(`Tools.davidnaylor.co.uk/keyworddensity`).

Herramienta especializada en el análisis de densidad de palabras en los buscadores.

▶ Live Keywords Analysis.

(`Live-keyword-analysis.com`).

Herramienta para el análisis del posicionamiento de palabras, así como saber cómo se están usando.

Otros

▶ WebSiteGrader.

(`Websitegrader.com`).

Mide la efectividad en el marketing de un sitio ofreciendo a través de la puntuación. Además analiza los sitios de la competencia.

▶ Feed Compare.

(`Feedcompare.com`).

Una aplicación para comparar los feeds de FeedBurner con los de otros tres sitios. Véase la figura 5.10.

▶ Domain Stats Tool.

(`Webconfs.com/domain-stats.php`).

Facilita todo tipo de estadísticas sobre un dominio. Incluye muchas características distintas.

POSICIONAMIENTO SOCIAL, SMO

La importancia que ya han conseguido adquirir los Social Media en las estrategias de comunicación online y en el marketing relacional de las marcas ha hecho que se establezcan vías alternativas al típico posicionamiento en buscadores SEO que se ha estado utilizando durante años.

Muchos se atreven a afirmar que el SMO reemplazará al SEO. Posiblemente sea así, pero lo que sí se puede afirmar en estos momentos es que ambos seguirán existiendo por un largo tiempo y que su combinación es la mejor forma de promoción online que un Community Manager puede disponer.

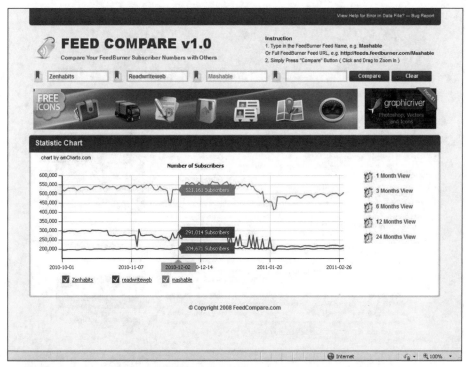

Figura 5.10. Las gráficas de Feed Compare muestran la evolución en el número de suscriptores a los RSS de los sitios Web.

El SMO (Social Media Optimization) poco tiene que ver con el SEO (Search Engine Optimization).

Cuando hablamos de SMO no lo estamos haciendo del mismo concepto de posicionamiento al que estábamos acostumbrados. Por poner un ejemplo, el posicionamiento en Facebook no está centrado en los resultados de las búsquedas efectuadas en la propia plataforma sino que está directamente enfocado al usuario, es decir es un posicionamiento social.

Por otro lado a lo que nos obliga SMO es a estar más atentos. Ya no basta con aparecer en las mejores posiciones de las búsquedas de Google, los Social Media han puesto a disposición de todos otros muchos métodos para conseguir tráfico de calidad, y no se puede rechazar una oportunidad así.

En SMO es fundamental la transparencia (no ocultar quién se es) y la honestidad (no ocultar las intenciones). De lo contrario, los esfuerzos de posicionamiento se pueden volver en contra.

Figura 5.11. Rohit Bhargava acuñó el término SMO por primera vez en agosto de 2006, aún se puede leer el post en su blog.

Rohit Bhargava al momento de utilizar el término SMO por primera vez (en agosto de 2006), definió 5 claves para poder realizar una campaña de SMO correctamente. Son las siguientes:

1. Incrementa la "linkabilidad". Muchos contenidos sociales tienden a ser estáticos, lo cual se soluciona aumentando y optimizando el uso de enlaces y referencias. El uso de *blogs* es un buen modo de convertir la experiencia social en mucho más dinámica, ya que permite enlazar nuestra información con otros contenidos y fuentes de datos. Véase la figura 5.12.

   Uso: *Blogs*, contenido de calidad, agregadores y *linkbait*.

2. Facilita el uso de enlaces favoritos y etiquetas. Es una forma inteligente de facilitar un seguimiento rápido de los temas que interesan a todos los usuarios. Su ordenación por etiquetas también hace más sencilla la tarea de encontrar un sitio interesante dentro los Social Media e incluso las recomendaciones por temáticas. Delicious (`Delicious.com`) es un ejemplo claro de esto.

Uso: Barras de botones con posibilidad de compartir y etiquetas como Sociable Plugin.

Figura 5.12. Los botones sociales son ideales para aportar al usuario la posibilidad de que compartan los contenidos que le gustan.

3. Recompensa los enlaces entrantes. Los enlaces que apuntan hacia nuestro contenido fundamentales para el aumento en los resultados de búsquedas, por eso es necesario estimular su uso.

   Se puede hacer, por ejemplo, a través de *Permalinks* y listas de contenidos similares al nuestro que a su vez reviertan la visibilidad de quien nos enlaza.

   Uso: *Permalinks*, *trackbacks* y listas de recientes *blogs* enlazados.

4. Ayuda a que tu contenido viaje. La clave es producir contenido que sea sencillo de distribuir, por ejemplo documentos en PDF, archivos de audio, vídeos, etc. Esto ayuda enormemente a que el contenido se comparta y que los enlaces lleguen a nuestras plataformas.

   Uso: Presentaciones, vídeos promocionales, *podcasts* y newsletters.

Figura 5.13. Ofrecer gratuitamente un podcast, por ejemplo, ayuda
a que el contenido sea viral y se comparta mucho más.

5. Promueve el uso de aplicaciones con varias fuentes (Mashups). El ejemplo
    más claro de esta idea es el protagonizado por Youtube. La plataforma
    de vídeo ofrece un código gratuito para que cualquiera pueda cortarlo y
    pegarlo para incrustar los vídeos alojados en su plataforma. Esto ha hecho
    de Youtube la gran compañía que es en estos momentos.

    Uso: Sindicadores de contenidos a través de RSS.

    Sin embargo el carácter 2.0 de los Social Media ha conseguido que se
    siga trabajando en el concepto y en la actualidad existen nuevas claves
    añadidas a la lista.

    Las más importantes son estas:

6. Agrega recursos para tus usuarios. Se puede hacer incluyendo enlaces
    a páginas o a contenidos que sean de interés para la comunidad. Es un
    sistema que utilizado de un modo adecuado puede convertir el perfil o la
    plataforma en un punto de referencia de una comunidad especifica. Esto
    favorece enormemente la visibilidad.

7. Recompensa a los usuarios fieles. Este tipo de usuarios se convierten en buenos influenciadores del contenido. Es necesario buscar formas de incentivarlos y premiarlos. Es algo muy simple, pero que a la larga ayuda a fidelizar a la comunidad.

8. Participa en los Social Media. Es preciso estar en la conversación, no fuera. Los Social Media son vehículos de comunicación bidireccional. Participar hace que el mensaje se extienda más lejos y más rápido.

9. Entiende a tu audiencia. Si un Community Manager no conoce a su audiencia, tiene un serio problema. Mediante la escucha se puede llegar a conocer con detalle a una comunidad. Las herramientas de monitorización y las analíticas harán el resto.

10. Desarrolla una estrategia. Como en otras responsabilidades del Community Manager, a la hora de hacer SMO es imprescindible definir unos objetivos y establecer unas metas. No es necesarios ser muy ambicioso al comienzo, basta con plantearse objetivos cercanos como, por ejemplo, aumentar el número de páginas vistas en un 15 por cien.

11. Haz del SMO parte de tus prácticas comunes. Para convivir con el SMO es necesario incorporar todas estas tácticas al proceso diario de trabajo y convivir con ellas permanentemente.

Básicamente, si revisamos estas reglas los conceptos se resumen en un clásico de los Social Media, el hecho de "aportar valor al usuario", el hecho de producir satisfacción a nuestro visitante.

Como ya comenté anteriormente la realidad el usuario se muestra muy "egoísta" en los Social Media, la experiencia dice que un usuario quiere descuentos, promociones, ahorros, regalos... como en la vida real. También valora el contenido atractivo e interesante pero si puede sacar un mejor provecho de su visita, se sentirá mucho más querido. Las marcas o empresas que mejor han entendido las reglas del juego son las que se están comenzando a situar en mejor posición a la hora de aprovechar todas las posibilidades que ofrecen los Social Media.

Diferencias entre SEO y SMO

▶ En el SEO uno de los factores determinantes de la posición en el buscador es la estrategia de *link building* que se siga. En SMO los enlaces son el resultado del éxito del contenido, los enlaces conseguidos son virtud de la viralidad y de la calidad de la información.

▶ Los elementos de un *blog*, etiquetas, cabeceras, títulos, textos en negrita y el uso de las palabras clave son muy importantes para el SEO.

En SMO la codificación y las etiquetas no son importantes y sin embargo sí lo es el contenido y la parte visual que genere mayor impacto sobre el usuario.

▶ En SEO el Tittle de un sitio Web informa al buscador de qué tipo de contenido hay detrás de ella y esto tiene un peso importante en su posición. En SMO los títulos y titulares de los contenidos son los realmente importantes para el *click-through* de los usuarios.

▶ El contenido en el SEO debe ser indexable. En SMO esto no es necesario. Lo que si es necesario en ambos casos es que el contenido sea de calidad, en SEO para poder posicionarlo mejor y en el SMO para mantener la atención del usuario y conseguir su aprobación.

▶ En SEO la analítica es necesaria para conocer si los cambios y acciones han tenido el impacto deseado, sea tanto positivo como negativo. En SMO se analiza más la aceptación por parte del usuario, fundamentalmente para tratar de entender qué orientación temática es la más adecuada.

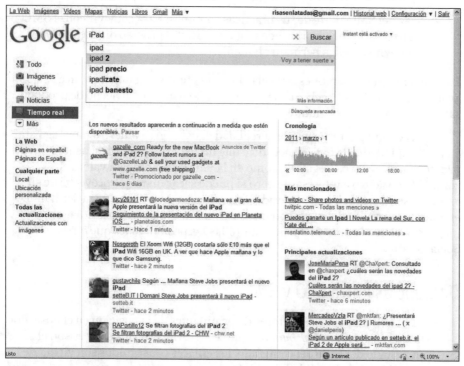

Figura 5.14. Google ha entendido que sus competidores le pueden hacer daño si no consigue añadir los Social Media a su estrategia con el buscador.

Google, cada vez más social

La búsqueda social es el futuro y Google lo sabe. Sus intentos por acercarse cada vez más al mundo de los Social Media son más que conocidos. Desde que a principios de 2010 decidiera sacar Google Social Search de su Experimental Labs para pasarlo a fase Beta, el día a día del buscador ha sido un constante cambio, siempre rumbo a los Social Media.

Después de poco más de un años las posibilidades que ofrece el servicio son de gran calidad, permite obtener resultados de Twitter, Facebook, Flickr, Quora, Picasa, Buzz, HotPot, YouTube y cualquier Social Media abierto que el usuario que realiza la búsqueda incluya en su perfil. Esto que en principio puede parecer sólo una función más de búsqueda personalizada, a medio plazo tendrá un gran impacto en los resultados reales del buscador.

> Google Social Search representa una herramienta muy útil en lo que respecta a contar con una amplia gama de referencias provenientes de los Social Media, algo que consigue que los procesos de búsqueda se automaticen aún más.

Es decir, cuando un usuario busca en Google sigue obteniendo los mismos resultados naturales que aparecían pero ahora se han añadido también los de sus conexiones sociales, con una pequeña anotación discreta que indica que son resultados de la búsqueda en plataformas sociales.

Gracias a las opciones de personalización el usuario decidirá qué servicios adicionales quiere activar en los resultados, las acciones en Twitter, Facebook, Flickr, Picassa, FourSquare o Buzz. Así, si un usuario está viendo un partido de fútbol y se hace una búsqueda sobre él en Google, aparecerá lo que los amigos están comentando sobre el partido en tiempo real desde su perfil de Facebook o Twitter. Véase la figura 5.15.

Si miramos más allá se trata también de un cambio sustancial dentro de la estrategia de Google, ya que además de disponer de un PageRank para medir la relevancia de los sitios Web, ahora dispone de un SocialRank para ponderar el valor de cada usuario en las plataformas sociales.

Ambas integraciones han llegado para quedarse y a buen seguro va a ser caldo de cultivo para las estrategias SEO y SMO en los próximos años. Véase la figura 5.16.

> Dado que el presente y futuro de Internet son los Social Media, Google no quiere perderse un lugar en la conversación y ganar algo de terreno frente a importantes competidores como Facebook.

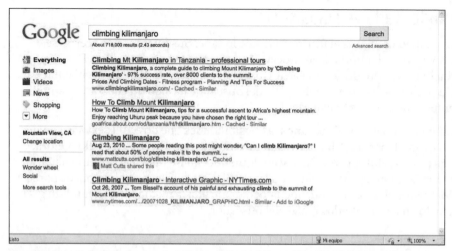

Figura 5.15. La última característica implementada por Google permite acceder a registros de los Social Media que han sido compartidos. Muestra la imagen del perfil, el nombre y el texto "shared this".

Figura 5.16. El PageRank puede ser sustituido en breve por el SocialRank, que permitirá ponderar el valor de cada usuario en las plataformas sociales.

ANALÍTICA WEB

En estos últimos años, el concepto de Business Intelligence (conjunto de actividades enfocadas a la obtención y análisis de información relevante para la toma de decisiones) ha tomado un gran protagonismo dentro del mundo de la empresa.

Aunque aún en fase de desarrollo, una de las actividades enmarcada dentro de este concepto, el de Business Intelligence, es la analítica Web.

La analítica Web se puede definir de muchos modos, de hecho se pueden encontrar en Internet miles de definiciones sobre ella, tantas como *blogs* dedicados a su estudio. Intentando hacerlo de una manera rápida y sencilla de entender se podría decir que la analítica Web se ocupa de la recopilación, medición, evaluación y explicación racional de los datos obtenidos de Internet, con el propósito de entender y optimizar su uso.

Habitualmente proporciona datos sobre el número de páginas vistas, visitas, popularidad de los sitios, usuarios únicos, conversiones, etc.

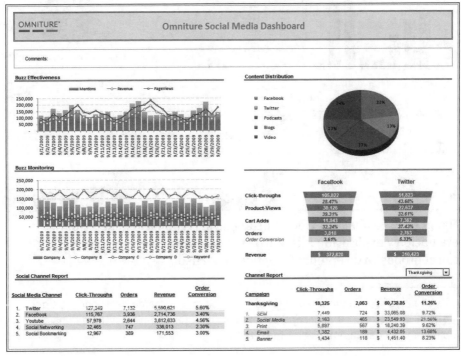

Figura 5.17. Con la eclosión de los Social Media la analítica ha salido de los límites de la Web para intentar llegar mucho más lejos.

Con la eclosión de los Social Media la analítica ha salido de los límites de la Web para intentar llegar mucho más lejos. Hasta ahora la tarea se basaba en analizar un dominio concreto, desde hace algún tiempo la analítica debe cuantificar y cualificar enlaces, fans, suscriptores RSS, comentarios o incluso la forma en que unos usuarios ejercen influencia sobre otros en plataformas como Tuenti o Facebook.

Este es un campo en el que aún se tiene que avanzar mucho. A partir de ahora el Community Manager debe ser un analista que busque métricas como la relevancia o la influencia. Es algo mucho más cercano a analizar la conversación que a medir datos. Es un cambio sustancial al que hay que adaptarse.

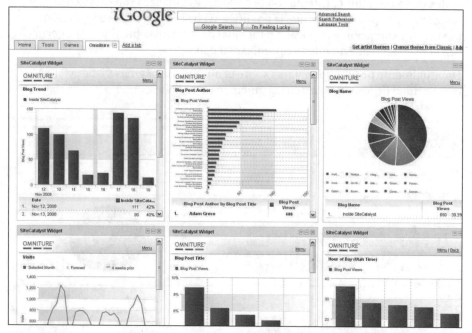

Figura 5.18. La analítica Web se ocupa de la recopilación, medición, evaluación y explicación racional de los datos obtenidos de Internet, con el propósito de entender y optimizar su uso.

La analítica Web es una herramienta que facilita la toma de decisiones, ya que ofrece la información necesaria para poder detectar que elementos de una campaña se deben optimizar y mejorar.

Gracias a esta nueva aportación de la analítica, ahora podemos medir conceptos como la atención, el prestigio, la participación o la influencia.

- Atención.

    - Trafico.

    - Tiempo en la Web.

    - Usuarios únicos.

    - Usuarios recurrentes.

- Prestigio.

    - Citas a nuestra campaña.

    - Menciones.

    - Enlaces entrantes.

- Participación.

    - Comentarios en Facebook.

    - Comentarios en *blog*.

    - Me gustas de Facebook.

    - Visualizaciones de Youtube.

- Influencia.

    - Suscriptores a newsletter.

    - Fans en Facebook.

    - Datos de RSS.

    - Seguidores.

De hecho la analítica es una herramienta vital para poder medir de algún modo el retorno de la inversión ya que es el resultado de analizar la actividad con el objetivo de enfocar acciones a resultados. Los datos que proporciona permiten al Community Manager optimizar la estrategia del Social Media Plan y poder adelantarse a decisiones importantes a la hora de sacar el máximo partido a las campañas. Para un Community Manager la Analítica Web debe ser una actitud diaria, una forma de conocer su proyecto y conocer el de la competencia.

Hay que medir. Medir es conocer. Hay que medir para saber qué quieren de verdad nuestros usuarios y por qué lo quieren.

Pero... la analítica no es únicamente disponer de las métricas que ofrecen las herramientas de seguimiento, ni siquiera realizar informes periódicos de las visitas que ha tenido el sitio Web o la campaña objeto de estudio. Hay que comenzar definiendo las preguntas, lo que se quiere saber, y tener la actitud de querer conocer mejor el proyecto, con los riesgos que ello supone. Si no es así, la analítica Web no sirve para mucho.

Figura 5.19. La analítica es una herramienta vital para poder medir de algún modo el retorno de la inversión ya que es el resultado de analizar la actividad con el objetivo de enfocar acciones a resultados.

En los Social Media la analítica Web ha dado un paso hacia delante. Con antelación el análisis de sitios Web únicamente precisaba de una analítica cuantitativa, es decir básicamente estadísticas de tráfico y audiencias.

Sin embargo ahora se ha creado un nuevo campo que tiene que ver con la calidad de esas estadísticas, es decir la analítica cuantitativa. Gracias a ésta se consigue medir las sensaciones y necesidades del usuario a través de métodos especiales de escucha.

Según Avinash Kaushik, uno de los expertos mundiales, la analítica Web debe ser capaz de responder a cuatro preguntas muy básicas: Qué, Cuánto, Por qué, Qué más.

▶ Qué: Es el estudio de lo que hacen los usuarios en la Web.

▶ Cuánto: Es el estudio de los diversos resultados de la presencia online (no sólo de la Web).

▶ Por qué: Es el estudio de las causas del comportamiento de los usuarios y de los resultados.

▶ Qué más: Es el estudio de la posición de la competencia y la comparación de esa posición con la que ocupa nuestra marca, empresa o producto.

> Hay algo que es obvio pero que a veces se olvida. La analítica Web se debe desarrollar con una razón, con un objetivo. Se debe medir para conseguir algo.

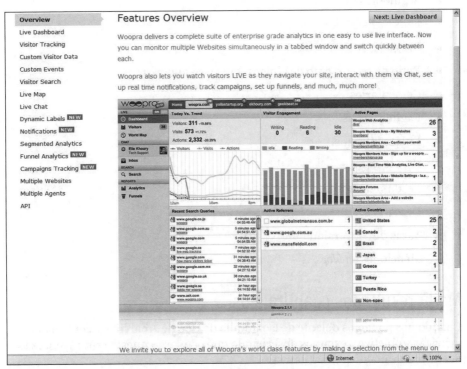

Figura 5.20. La analítica no es sólo disponer de las métricas que ofrecen las herramientas de seguimiento, debe responder a nuestras preguntas.

El mismo Avinash Kaushik habla de seis métricas fundamentales para un análisis serio de la analítica Web. Son las métricas que ofrecen una visión general de la situación de modo que podemos saber dónde nos encontramos en lo que al análisis de una página Web se refiere. Son las siguientes:

- ► Visitas.

- ► Paginas vistas.

- ► Páginas / vista.

- ► Porcentaje de rebote.

- ► Promedio de tiempo en el sitio.

- ► Porcentaje de visitas nuevas.

Si vamos más allá, a los Social Media, el abanico de métricas se abre. Entonces dispondremos de métricas según las plataformas y sus características. Alguna de las más importantes podrían ser las siguientes:

- ► Seguidores de Twitter.

- ► Fans de Facebook.

- ► Me gusta de Facebook.

- ► Ratio de crecimiento de amigos, fans y seguidores.

- ► Comentarios.

- ► Páginas vistas.

- ► Enlace internos.

- ► *Click-through*.

- ► Leads generados.

- ► Descargas.

- ► Tasas de conversión.

- ► Menciones en *blogs*.

Medir resultados cuantitativos

Cuando nos ponemos delante de la pantalla de Google Analytics y controlamos métricas y objetivos, estamos observando qué ocurre en nuestro sitio Web, es lo que se llama analítica cuantitativa.

De un modo más práctico, la analítica cuantitativa es:

- ► Decidir la herramienta de análisis de datos que se utilizará.

- ► Revisar los datos obtenidos en la búsqueda.

- ► Analizar descriptivamente por variable los datos obtenidos.

- ► Visualizar los datos por variable.

▶   Evaluar la validez y objetividad de los parámetros de medición utilizados.

▶   Analizar e interpretar mediante pruebas estadísticas las hipótesis
    planteadas.

▶   Realizar análisis adicionales.

▶   Preparar los resultados para presentarlos.

Básicamente, de un modo más directo, con la analítica cuantitativa podemos
medir el volumen de tráfico de una campaña. Es un indicador básico que permite
saber, entre otras muchas cosas, la cantidad de fans en Facebook y los seguidores
de Twitter.

Figura 5.21. Poder utilizar una aplicación como Google Analytics
no nos convierte en analistas ya que ni la herramienta ni los datos
que obtiene aportan valor alguno por sí solos.

Trabajar la analítica Web de un modo cuantitativo no es únicamente utilizar una
herramienta de análisis. Poder utilizar una aplicación como Google Analytics con
todos los resultados de una campaña no nos convierte en analistas ya que ni la
herramienta ni los datos que obtiene aportan valor alguno por sí solos. Son eso,

datos. Es un analista aquel que es capaz de extraer conclusiones y soluciones de los datos que muestra la herramienta. Tener unas buenas zapatillas para correr no nos convierte en atletas.

> La implementación de una herramienta de analítica Web sin plantearse objetivos previos, es a veces una inversión económica y de recursos que termina lastrando un proyecto.

Muchos Community Managers consiguen familiarizarse rápidamente con herramientas como Google Analitycs pero el análisis correcto de los datos aún es una asignatura pendiente. En general se tiende a analizar los datos de un modo independiente, como número de páginas vistas, de usuarios únicos, de visitas, entre otros, sin concluir estableciendo relaciones cruzadas o contextuales entre los diferentes datos.

Éstos son algunos de los errores más comunes a la hora de analizar los datos:

- ▶ Analizar los datos fuera de su contexto (interrelación de datos analizados).

- ▶ Basar la analítica Web en criterios subjetivos que no corresponden con los datos cuantitativos que ofrece la herramienta utilizada.

- ▶ No tomar en cuenta la significación estadística de los valores analizados.

Cómo hacerlo y las herramientas

La labor de Community Manager en el apartado de analítica cuantitativa es una de las más difíciles, es la labor de aportar soluciones, mejoras, ideas, nuevas oportunidades. Para ello es necesario utilizar las herramientas adecuadas para disponer de los datos precisos, pero a continuación es necesario analizar, analizar y analizar. No se trata de acumular datos, se trata de buscar el por qué de lo que está ocurriendo y de darle solución.

- ▶ Google Analytics.

  (Google.com/analytics).

  Es la herramienta que se ha convertido en poco tiempo en el servicio de medición más popular del mundo debido a su gratuidad. Ofrece todo tipo de datos del tráfico de un sitio Web así como análisis de la efectividad de las campañas.

- ▶ Omniture SiteCatalyst.

  (Omniture.com).

Es la considerada por los expertos como la herramienta más completa de analítica Web. Es una plataforma de Adobe que dispone de varias aplicaciones específicas de segmentación y análisis avanzados, aplicaciones de marketing, implementación de pruebas A/B, implementación de múltiples variables, etc.

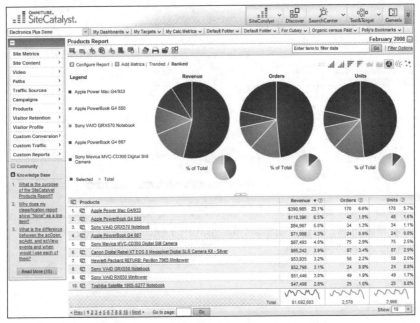

Figura 5.22. SiteCatalyst es la considerada por los expertos como la herramienta más completa de analítica Web.

▶ Woopra Analitycs.

(woopra.com).

Es una gran aplicación que dispone de dos componentes, por un lado una utilidad de escritorio para el análisis y la exploración de datos y, por otro, un servicio online para supervisar las estadísticas del sitio Web. Dispone de una interfaz de usuario muy adecuada, que permite una gestión intuitiva de los datos de varios sitios y dominios. En su sitio oficial ofrece documentación variada y una interesante guía para desarrolladores.

▶ Mochibot.

(Mochibot.com).

Es una herramienta de análisis y seguimiento Web específica para sitios Web desarrollados en Adobe Flash, con características especiales para ello.

Figura 5.23. Mochibot es una aplicación analítica exclusiva para sitios desarrollados en Adobe Flash.

▶ Piwik.

(Piwik.com).

Es una aplicación con licencia GPL. Para su uso es necesaria su instalación en servidor Web. Permite el estudio de datos en tiempo real y proporciona informes detallados sobre visitantes, actividad de los motores de búsqueda y palabras clave utilizadas, idioma, popularidad de las páginas, etc. Véase la figura 5.24.

▶ ShinyStat.

(Shinystat.com).

En su versión Business realiza tareas de analítica Web de alto nivel, con posibilidad de seguimiento de acciones de marketing online y opciones para el análisis y supervisión de ventas y el ROI.

▶ JAWStats.

(Jawstats.com).

Es también una utilidad de análisis estadístico de código abierto. Se ejecuta junto con AWStats y permite generar gráficos y tablas sobre sus visitantes de un sitio Web. Véase la figura 5.25.

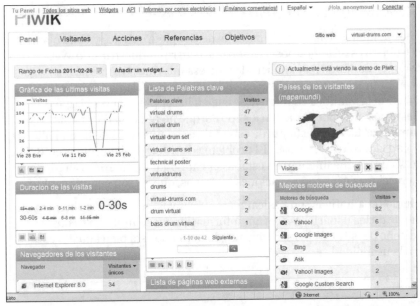

Figura 5.24. Piwik es una aplicación que pretende ser alternativa a Google Analytics pero con la particularidad de que debe instalarse en un servidor Web.

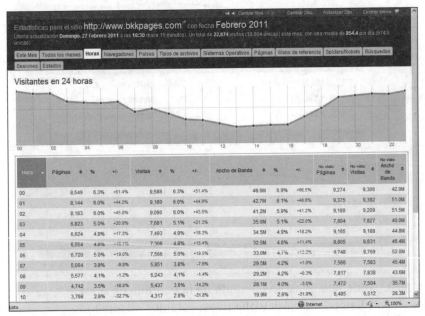

Figura 5.25. JAWStats es un servicio de estadísticas de código abierto que ofrece una gran variedad de métricas.

282

COMMUNITY MANAGER

Medir resultados cualitativos

Cuando nos ponemos delante de la pantalla de Google Analytics y controlamos métricas y objetivos, estamos observando qué ocurre en nuestro sitio Web. Sin embargo, necesitamos un análisis de toda esa información que nos ayude a comprender porqué está sucediendo, es lo que se llama analítica cualitativa. Con la analítica cualitativa se suelen hacer preguntas del tipo ¿Porqué este post no tiene comentarios? o ¿Porqué no pulsa nadie en este botón **Comprar**? La respuesta puede estar tal vez en una frase de Jason Falls (`SocialMediaExplorer.com`) "El problema de tratar de determinar el ROI de los Social Media es que intentamos establecer cantidades numéricas alrededor de las interacciones y las conversaciones humanas, que no son cuantificables".

Los resultados cualitativos son básicamente subjetivos, es decir, los obtenemos directamente de los usuarios y aportan información no cuantificable como si gusta el diseño del sitio Web o si determinado botón no está bien situado con respecto a la usabilidad.

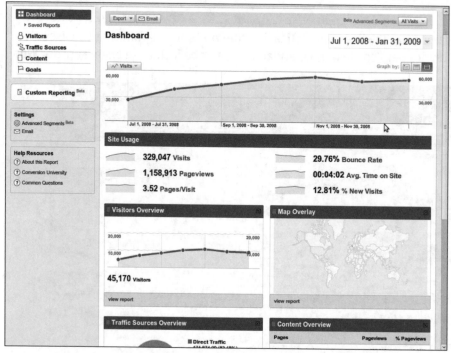

Figura 5.26. Cuando nos ponemos delante de la pantalla de Google Analytics y controlamos métricas y objetivos, estamos observando qué ocurre en nuestro sitio Web pero necesitamos analizar para saber porqué está sucediendo eso.

Es por esta razón, por la dificultad de enjuiciar simples datos, por lo que la analítica cualitativa resulta tan complicada de realizar. Comparando, es sencillo analizar datos y cantidades a través de una herramienta que muestre informes con gráficos y métricas, lo complicado es valorar resultados a través de valores como la satisfacción del usuario o sus sensaciones sobre un producto.

El objetivo de la analítica cualitativa es entender porqué pasan ciertas cosas pero la acción que genere debe ser estudiada, contrastada, planificada, y a ser posible, probada.

Cómo hacerlo y las herramientas

▶ Conocer lo que le gusta o no le gusta al usuario.

Sistema de puntuación de interés a través de números o estrellas: Los marcadores de puntos o estrellas son un muy buen sistema para obtener información cualitativa. Pueden ser usados en todo tipo de páginas de información, ya sean de un sitio corporativo o de un *blog*.

Figura 5.27. Los marcadores de puntos o estrellas son un muy buen sistema para obtener información cualitativa.

▶ Ofrecer la posibilidad de que el usuario opine.

Sistema de inserción de una pestaña Feedback a través de UserVoice (`Uservoice.com`): Se trata de una aplicación que inserta una capa sobre el sitio Web que permite seleccionar una opción Feedback para que el usuario pueda enviar cualquier tipo de consulta, duda, crítica o voto, siempre que sea previamente configurada. También disponible para Facebook.

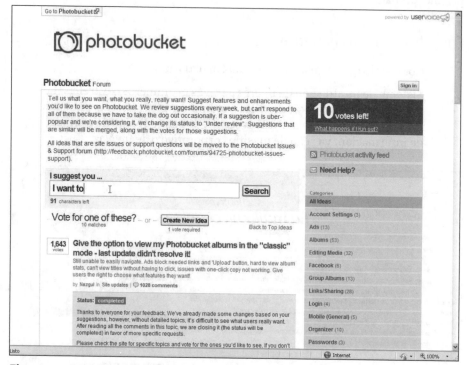

Figura 5.28. Debemos facilitar al usuario que pueda enviar cualquier tipo de consulta, duda, crítica o voto, la escucha es vital.

▶ Facilitar un centro de soporte para que el usuario pueda solucionar sus dudas.

Sistema de soporte online a través de Get Satisfaction (`Getsatisfaction.com`): Es la evolución transparente del centro de soporte, adaptando, mejorando y ampliando el sistema habitual. Hace que al usuario le sea más rentable acudir a la página de la empresa en cuestión (por ejemplo `getsatisfacion.com/canon`) que a un foro, ya que posiblemente será más sencillo encontrar la solución al problema y estará mucho más documentado y con mayor número de soluciones.

Figura 5.29. El sector de las herramientas de soporte online está aumentando a pasos agigantados gracias a los Social Media y su concepto de bidireccionalidad en la comunicación.

▶ Aumentar la conversación con el usuario.

Sistema de preguntas y respuestas a través de formulario de Formspring (`Formspring.me`): La idea es bastante simple. Se trata de ofrecer una página personalizada (por ejemplo `formspring.me/canon`) en la que existe una caja de texto donde cualquier usuario puede dejar preguntas.

Luego se dispone de la opción de responder la pregunta y publicarla, borrar la pregunta o incluso bloquear la IP del usuario que la hizo. Véase la figura 5.30.

▶ Preguntar al usuario sobre sus preferencias.

Sistema de formulario típico pero con temáticas versátiles: Gracias a un formulario es posible pedir a un usuario que opine de un tema determinado y de una manera completamente anónima.

Se pueden introducir encuestas sobre las secciones que más gustan de la página, sobre los contenidos, sobre las descargas, etc. Véase la figura 5.31.

Figura 5.30. Es importante que el usuario pueda realizar preguntas,
eso nos hará conocer mejor que problemas tiene o cuales son
sus dudas sobre nuestra marca o servicio.

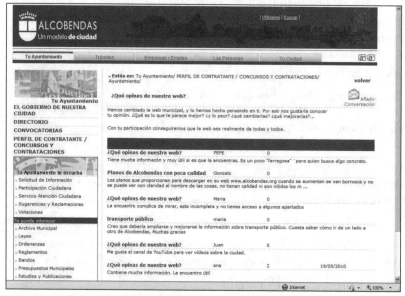

Figura 5.31. También es una buena opción preguntar al usuario. No ofrece
tanto nivel de participación pero aporta respuestas de calidad.

▶ Analizar al usuario en su navegación.

A través de la aplicación Woopra (`woopra.com`): Woopra es una aplicación de analítica Web que permite trackear a usuarios en tiempo real de modo que se puede ver cómo acceden y cómo navegan por el sitio Web. Esto permite conocer enormemente el comportamiento del usuario y cómo actúa ante las páginas.

EL ROI

A medida que las principales empresas comienzan a apostar cada vez más por los Social Media, su interés y sus esfuerzos por lograr resolver las cuestiones en torno al ROI (*Return On Investment* – Retorno de la Inversión) van cada vez más en la buena dirección.

Según las estimaciones de eMarketer, cuatro de cada cinco empresas de más de 100 empleados en Estados Unidos va a apostar por el Social Media Marketing durante el año 2011. La clave para que este dato siga aumentando sólo es una, el ROI.

Del mismo modo que se hace en las campañas de marketing tradicional, los proyectos en Social Media se deben medir a través del ROI, la única forma para conocer si el dinero invertido ha retornado sumado a alguna ganancia o si por el contrario no lo ha hecho. En otras palabras, cuánto hemos ganado con cada euro que hemos invertido.

No debemos olvidar que, finalmente, la analítica del ROI es la métrica más importante a la hora de analizar una campaña.

Si disponemos de *leads* generados, número de conversiones, nuevos clientes y los beneficios generados, es muy posible conocer el progreso para la obtención del retorno de la inversión.

Avinash Kaushik insiste en su regla del 10/90. Las empresas deben invertir el 10 por cien de su presupuesto en herramientas, y el 90 por cien en conseguir gente capaz de analizar los datos que esas herramientas ofrecen. Ninguna herramienta puede hacer lo que hace el cerebro humano: unificar y dar sentido a la tremenda cantidad de datos que ahora están disponibles.

Para un Community Manager medir correctamente el ROI facilita enormemente el día a día. Gracias a esto es posible disponer de argumentos fiables a la hora de poner en marcha ideas nuevas que conlleven presupuesto o incluso en momentos en los que es necesario defender un determinado proceso de trabajo que hasta el momento no era tenido en cuenta.

El cálculo de ROI en Social Media

El cálculo del ROI se lleva a cabo a través de la siguiente fórmula:

ROI = (Beneficio – Inversión) / Inversión × 100

Básicamente en los Social Media Plan se debe plantear desde el principio que los retornos de inversión no son inmediatos y que, además, las variables a medir no son en la mayoría de las ocasiones cuantificables o cuando menos es difícil hacerlo. Los Social Media plantean un concepto en el que sitúan al usuario en el centro de las relaciones, con lo que las conversiones económicas no son ni mucho menos directas.

El planteamiento de trabajo pasa por medir también el impacto de las relaciones con las personas a través de variables como la participación, la autoridad, la influencia y otras variables más fácilmente cuantificables como las planteadas en otro tipo de análisis Web (tráfico, tiempo en la Web, entradas, salidas, etc.) y asociarlas al ROI.

Por esta razón hay quien sostiene que podría haber distintas variables del cálculo del ROI siempre que se refiera a un proyecto Social Media. Imaginemos la siguiente:

ROI = (Beneficio – Inversión) + el compromiso del usuario (nuevos clientes) / Inversión × 100

Así podríamos personalizar el cálculo del ROI basándolo en los objetivos de la compaña. Algunas otras posibilidades podrían ser estas:

ROI = (Beneficio – Inversión) + generación de ideas / Inversión × 100

ROI = (Beneficio – Inversión) + compromiso con el cliente / Inversión × 100

Esto deja constancia clara de que es muy difícil calcular el ROI cuando se trabaja bajo el paraguas de los Social Media. Por ello comienza a aparecer un nuevo concepto, denominado ROR (Retorno sobre las Relaciones), que de alguna manera define las fórmulas anteriores, y que puede ser utilizado cuando las acciones de un proyecto Social Media no pueden ser medidas con el ROI. Por lo tanto una fórmula de este tipo sería:

ROR = (Beneficio – Inversión) + aumento de la percepción de marca / Inversión × 100

Este constante cambio demuestra que todavía queda mucho por hacer para descubrir cuáles son los canales más eficaces o qué cambios tienen que realizarse en el ámbito del Social Media Marketing para demostrar su efectividad.

Es muy difícil calcular el ROI cuando se trabaja bajo el paraguas de los Social Media.

Lo importante es entonces que se instauren elementos de medición estándar que permitan, por ejemplo, valorar las ventas producidas a través de conversaciones sostenidas en los Social Media. Esta puede ser la clave para medir el ROI en un futuro cercano. Pero antes, necesitaremos aplicaciones que nos permitan medir cada venta que se genera a través de Foursquare, Facebook o del mismo *blog*.

Como ejemplo un dato, Dell a través de sus repetidas campañas Social Media lo ha conseguido. La utilización de Twitter para la publicación de ofertas o la venta directa de productos de *Outlet* le ha salido más que rentable. Es un ejemplo claro de que dedicar recursos para ejecutar una estrategia de Social Media orientada no sólo a vender sino también a gestionar la atención al cliente puede dar beneficios económicos reales.

Según diversos estudios, el tráfico de la página es la medida más utilizada para controlar el éxito de una campaña Social Media, con un 68 por cien. En el segundo puesto, la estrategia más utilizada es la medición de las conversiones, con un 65,7 por cien. Por debajo se sitúan el número de fans o miembros (62,9 por cien) y el número de menciones positivas de los clientes (62,9 por cien). También los ingresos obtenidos han aumentado el interés entre los anunciantes.

El gasto en publicidad en las redes sociales en Estados Unidos superará los 3.000 millones de dólares este año, una inversión que está llevando a los anunciantes a cambiar la forma en que miden la efectividad de sus campañas, según un reciente estudio de Bazaarvoice y The CMO Club.

La gran mayoría de directores de marketing de grandes empresas están preocupados por el desconocimiento que tienen sobre el ROI de los proyectos online en general y ahora de los Social Media en particular. Esto demuestra que todavía queda mucho por hacer para descubrir cuáles son los canales más eficaces o qué cambios tienen que realizarse en el ámbito de los Social Media y su gestión para que se pueda calcular el ROI convenientemente y demostrar su efectividad.

6. Poner en práctica los conocimientos

SOCIAL MEDIA. CASOS DE ÉXITO DE PERSONAS Y NEGOCIOS

En este capítulo se exponen diversos casos de éxito. Para que dichos casos hayan sido reconocidos es necesario que cumplan algunas pautas y referencias verdaderas en el empleo de las Social Media. El hecho de utilizar las redes sociales por sí solo no corrobora un caso de éxito. Veamos cuáles pueden ser algunas de las pautas de referencia:

► Haber formado parte de los Social Media, las marcas no son el centro, sino un jugador más.

► Que su uso haya significado un éxito notable por su repercusión, viralidad o distribución del contenido por parte de los usuarios (si no se ha hablado ni comentado más allá del propio *blog* de la empresa o de la nota de prensa, no nos encontramos ante un caso de éxito).

► Que la empresa haya escuchado a través de las redes sociales... y esté utilizando las aplicaciones y herramientas para establecer una conversación bidireccional con sus clientes y potenciales clientes.

► Que se haya creado un contenido de interesante y útil para los usuarios y de calidad, susceptible de ser consumido, distribuido, archivado o empleado como fuente de información en medios sociales.

► Que las audiencias hayan generado nuevo contenido y lo hayan distribuido.

Figura 6.1. La influencia que un joven como Justin Bieber ha conseguido en los medios sociales como Twitter o Facebook desbanca cualquier otro tipo de acción en medios tradicionales.

JUSTIN BIEBER, LA CARA FRESCA DE TWITTER

Un dato que para algunos puede resultar increíble. Según una lista de la revista Forbes publicada el 16 de Diciembre de 2010, el cantante Justin Bieber (http://twitter.com/justinbieber) era el famoso más influyente de los que utilizan Twitter.

Un preadolescente canadiense de 16 años con el único bagaje de publicación de un disco convertido en el líder mediático mundial con cerca de siete millones de seguidores.

Justin Bieber se convirtió en la cara fresca y preadolescente de Twitter y consiguió generar el 3 por cien del tráfico de Twitter. ¿Cuál es el secreto para conseguir un éxito tan espectacular de una manera tan rápida y brillante?

1.　Ser activo. Según declaró Josh Auerbach, vicepresidente de Betaworks, Bieber contesta al 10 por ciento de los tweets que contienen la frase "te quiero".

2. Ser fresco. En Nochebuena de 2010 el cantante no se olvidó de sus seguidores. "Todavía estoy en promoción. ¡Os quiero mucho a todos! ¡Feliz Navidad!".

3. Espontaneidad. No quedó ahí. A los pocos minutos del primer mensaje, volvía a aparecer por Twitter. "Disfrutad con vuestros amigos y familia. Gracias a todos!"

4. Adopción de cambios. Justin Bieber nació en Internet y en Internet ha encontrado un acogedor campo en el que echar raíces.

Además, su Facebook cuenta con más de 10 millones de fans, lo que le sitúa entre uno de los más seguidos en la red social.

GAP

La historia empieza cuando la multinacional textil Gap decidió cambiar el logotipo de su página online en Estados Unidos y pedir opiniones a sus más de 700.000 seguidores en su página oficial en Facebook. El resultado es que varios días después Gap vuelve al antiguo logotipo. Fin de la historia.

La historia es interesante de analizar por varios motivos:

1. Pocos usuarios y clientes se dieron cuenta del cambio del logotipo cuando este se realizó.

2. Los *blogs* de diseño y Social Media son los que lo advierten.

3. Días después saltó a los medios de comunicación convirtiéndose en noticia a nivel mundial.

La secuencia de hechos fue la siguiente. Tras hacer el cambio en la Web piden opinión en Facebook, animando a los usuarios a enviar sus creaciones. Un día después enlazan con el artículo de la presidenta de Gap en EEUU que justifica y explica dicho cambio.

Días más tarde anuncian, nuevamente en Facebook, que han escuchado a sus usuarios y que vuelven al logotipo original.

A continuación la mayoría de medios se hacen eco publicando mensajes del tipo "Gap escucha a sus usuarios".

Cambiar una marca no es sólo rediseñar un logotipo. Implica una planificación estratégica de la nueva identidad corporativa así como un presupuesto para adaptar el nuevo logotipo a todos los soportes online y físicos de la empresa. La inversión de una marca como Gap con más de 3.000 tiendas en todo el mundo supone un coste significativo.

Si a esto se le suma la lucha abierta en el sector textil por conseguir nuevos clientes en Internet se entiende la apuesta previa hecha por la compañía en el canal de Internet.

Objetivo conseguido mucho ruido en medios de comunicación y en medios sociales para atraer nuevos compradores.

Figura 6.2. La compañía Gap volvió a colocar su logotipo original en su Web tras el cambio propuesto y la no aceptación en una campaña de consulta en Facebook a sus usuarios.

OLD SPICE

Esta última pieza de la genial campaña del desodorante Old Spice es una muestra de un trabajo que tiene años de presencia en los medios de comunicación.

El personaje del spot, Isaiah Mustafa, un ex jugador de fútbol americano convertido en modelo publicitario, contesta a decenas de fans a través de Internet, rompiendo una nueva barrera del marketing interactivo. Las redes sociales y los *blogs* se hicieron eco de la campaña publicitaria lanzada en

Estados Unidos y que ha sido descrita como "brillante" por la forma en que utilizó Internet para expandir su mensaje de promoción de un producto de la marca de desodorantes.

Se trata de la emigración de un simpático comercial de televisión a Internet, donde el personaje principal del spot denominado "El hombre como el que tu hombre podría oler" responde a decenas de usuarios que le transmiten sus dudas, pensamientos y propuestas a través de Twitter, Facebook y otras redes sociales.

"El hombre como el que tu hombre podría oler" es una de las campañas virales más originales hasta el momento.

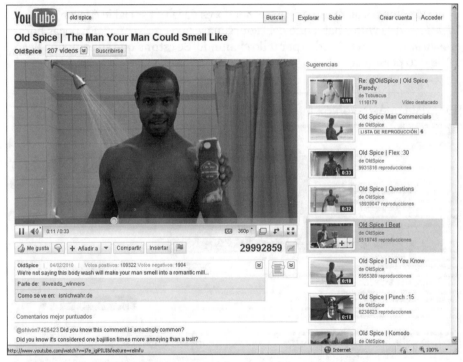

Figura 6.3. Las redes sociales y los blogs se hicieron eco de la campaña publicitaria lanzada en Estados Unidos y que ha triunfado internacionalmente por el modo de utilización de Internet.

TAXI OVIEDO

Uno de los ejemplos más conocidos en España ha sido el de Rixar García, un taxista de Oviedo. Se trata de un autónomo que ha ido actualizándose y aplicando las Nuevas Tecnologías.

En 2006 hizo su primera campaña Addwors. Posteriormente incorporó al taxi un pequeño ordenador con wifi y una impresora, permitiendo la impresión de la tarjeta de embarque a los pasajeros que lo necesitaran mientras los desplazaba al aeropuerto.

Entró de lleno en la Web 2.0. `@taxioviedo` se convirtió en el primer taxi del mundo en ofrecer servicios a través de DMs (mensajes directos en Twitter).

A Rixar se le ocurrió solicitar una campaña de oferta especial a Foursquare. Consistía en hacer un cheking en el aeropuerto y conseguir una oferta de descuento en la carrera. Pegó un vinilo en su taxi con el lema "*Foursquare Special Here*".

Ocurrió entonces que varios de los fundadores de la red social le citaron en su "*time line*" de Twitter hablando del "Foursquare taxi en España". En pocas horas, esos *twits* fueron retuiteados por todo el mundo. Se estima que su campaña llegó a 800.000 personas.

Figura 6.4. Rixar García fue el propulsor de las acciones de Taxi Oviedo que le ha llevado a conseguir un número éxito en su trabajo y en los Medios Sociales.

ZAPATILLAS MUNICH

Fue la primera empresa española en comercializar directamente al cliente final. Fabricaban, a medida, unas zapatillas específicas para el portero de fútbol sala David Barrufet y decidieron vender estas zapatillas en la Web. Hoy día su estrategia comercial está totalmente ligada a las Nuevas Tecnologías.

En 2008, Munich abrió página en Facebook (más de 70.000 seguidores) y decidieron montar un evento para vender su stock. Se convocó a la gente en la fábrica. A las 8 de la mañana había cientos de personas. A las 11 ya no quedaba género. La acción fue antes de Navidades, hacía frío y llovía, sin embargo la gente acudió en masa. No pudieron atender la demanda y recibieron muchas críticas. Según el responsable del Canal de Internet de la compañía Márius Cirera aquel evento "nos explotó en la cara.... Pedimos disculpas... Nos pusimos a hablar e inventamos todo un sistema para liquidar stocks".

Con Tuenti lanzaron una acción de *crowdsourcing* basada en el equipo "Tuenti Racing" de motociclismo. Pusieron en marcha el concurso: "Diseña las Munich oficiales del Tuenti Racing Derbi". Fue un éxito, funcionó muy bien. Se recibieron unos 700 diseños.

Figura 6.5. La página en Facebook de la compañía Munich cuenta ya con más de 70.000 seguidores. Es sólo una muestra de las diversas acciones en medios sociales que ha llevado a cabo esta empresa.

Y en 2010, como campaña de marketing, lanzaron "Munich Lavapies", se trataba de una acción de "Social Hype". Se integró todo el proceso en Facebook. La gente no conocía de qué iba "Munich Lavapies" y comenzaron a inventar historias alrededor (hype). En una semana tenían 10.000 fans. Para poder asistir a la venta había que inscribirse a través de un formulario, un día y hora concretos. Pero, además, ese formulario incluía un código konami. Pues... entraron miles de "amigos". 7.000 personas asistieron a la venta. "Montamos un *fotocall* y colgamos todas las fotos en Facebook, fue brutal", explica Márius.

LAS CEBOLLAS DE AGROFUENTES

Daniel Molina, alias "Daniel Cebolla" no había entrado nunca en Twitter, hizo un curso de AERCO y le "picó el pajarico". Es de Fuentes de Ebro, el pueblo de las cebollas en Aragón. Agrofuentes es una empresa familiar que produce y vende cebollas.

La compañía ha creado un juego a través de Twitter utilizando el hashtag #encebollados. Su estrategia se basa en dar el poder al usuario. Hace *crowdsourcing*, haciendo que por ejemplo los clientes participen en el rediseño de la bolsa de 2011. Véase la figura 6.6. La cebolla de Fuentes de Ebro se ha convertido en la primera en España con Denominación de Origen... ¿Será por sus acciones en Social Media?

Otros casos de éxito que algunas compañías han tenido a través de la utilización de recursos básicos como la creación de páginas de fans o de otros más llamativos como las aplicaciones.

KRAFT

Esta empresa aprovecha la red social Facebook para crear una aplicación con fines altruistas. Por cada usuario que se registre, Kraft da seis comidas a familias de escasos recursos. Esta campaña llamada Kraft Supports Feeding America ya ha conseguido alrededor de 25.000 seguidores en menos de dos semanas, cifra que aumentó durante el mes de enero.

IKEA

La compañía sueca por excelencia ha decidido crear una red social para empresarios Ikea Business. Con ella quiere promocionar su nuevo servicio dirigido al público empresarial mediante mobiliario de oficina. La red permite promocionar el negocio, contactar con gente, compartir ideas con otros emprendedores, ofrece un gran número de servicios, etc. Véase la figura 6.7.

Figura 6.6. #encebollados permite a sus clientes participar en el resiseño de la bolsa para este año 2011.

Figura 6.7. Una red social para empresarios llamada Ikea Business en la que las promociones y los contactos empresariales son un gran éxito.

OBRA SOCIAL CAJA MADRID

La entidad bancaria que habitualmente apoya diversos proyectos sociales, culturales, educativos y medioambientales creó un grupo en Facebook en el mes de octubre de jóvenes artistas. Su popularidad ha sido tanta que en pocos meses cuenta con un número de seguidores que supera los 5.000. El grupo se ha convertido en un espacio para divulgar información relacionada con becas, convocatorias, fotos, videos y eventos.

GALLINA BLANCA

Con más de 5.500 seguidores en Twitter, Gallina Blanca ha logrado obtener un gran reconocimiento a través de la activa participación que hacen de su cuenta, proponiendo recetas e intercambiando opiniones con los usuarios de forma permanente. Esta estrategia ha generado un excelente resultado porque los clientes logran tener una mayor fidelidad hacia la empresa por medio del feedback que éstos mismos hacen. Del mismo modo están utilizando Facebook para dar un impulso a su marca del sector de alimentación.

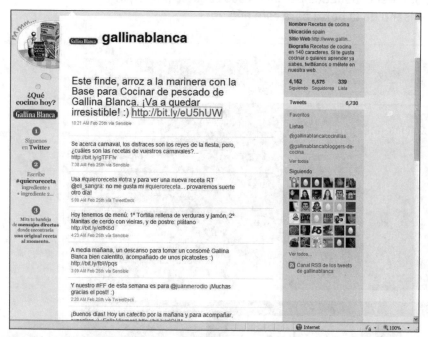

Figura 6.8. La estrategia que Gallina Blanca ha generado a través de su Twitter ha producido un excelente resultado porque los clientes están demostrando una mayor fidelidad hacia la empresa.

FLOWERDALE

Otra de las iniciativas considerada caso de éxito es la de la comunidad Flowerdale en Victoria, Australia, que fue devastada por el fuego, donde 13 personas murieron y 224 casas resultaron destruidas. El Comité de Recuperación de Flowerdale utilizó *blogs*, sitios para compartir videos, Vimeo y Youtube y el sitio de fotografías Flickr, para juntar dinero para la reconstrucción de la ciudad. Los Social Media ayudaron a reconstruir la ciudad en pocas semanas, logrando recolectar 1,5 millones de dólares, incluidas donaciones de otros materiales como automóviles. Además la comunicación a través de los medios sociales fueron cruciales para mantener a los residentes informados y a crear y fortalecer lazos con 20 organizaciones, los medios tradicionales y el gobierno a través de una wiki.

LG ESPAÑA

La filial española de LG es uno de los modelos a seguir en adaptación a los Social Media por parte de las empresas. Ha creado su *blog* corporativo desde el que se puede acceder a todas sus aplicaciones 2.0.

Figura 6.9. LG cuenta con un blog corporativo y con acceso a las diversas plataformas sociales, lo que le hacen estar en contacto directo con el usuario.

Cuentan además con un responsable de comunidad que actualiza todas las aplicaciones. El contenido de su *blog* corporativo es una interesante fuente de recursos al más estilo 2.0.

ORANGE

Orange lanzó, el pasado mes de agosto, su primer foro de atención al cliente en Internet, así como *blogs* especializados y perfiles en las redes sociales más populares, con presencia en Facebook, Twitter y Youtube.

Los perfiles de uso de las dos principales redes son distintos: mientras que Facebook permite realizar acciones con un punto más comercial, tratan de utilizar Twitter como plataforma de información y respuesta rápida a las inquietudes de los clientes.

La estrategia incluye tres *blogs* propios de información y foros de atención al cliente.

Figura 6.10. La estrategia en redes sociales de Orange incluye tres blogs propios de información y foros de atención al cliente.

Cada uno con sus particularidades, como las aplicaciones de Facebook, entre las que cabe destacar "Conciertos Orange" con retransmisiones en directo de conciertos o "Fútbol" dónde los fans pueden decorar sus fotos de perfil según los colores de su equipo de fútbol favorito.

PASTAS GALLO

Se trata de un caso de hace algún tiempo pero que nos sitúa ante un claro ejemplo de cómo bien gestionada una acción que parte de los Social Media es aprovechada muy acertadamente por la compañía.

Un cliente decidió poner en marcha el *blog* Me faltan letras, para quejarse de la ausencia de las letras "u" y "w" en los paquetes de Sopa de Letras de Pastas Gallo. La acción generó un *buzz* tremendo (*blogs*, menéame, prensa, radios...) y la compañía decidió atender sus peticiones y obró en consecuencia. Incluyó esas letras, mejoró el producto y obtuvo una importante repercusión en medios, generando una excelente acción de relaciones comerciales y públicas.

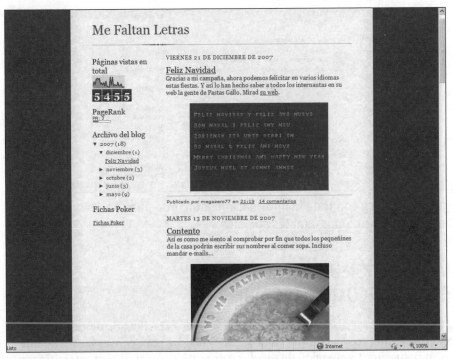

Figura 6.11. Un claro ejemplo de cómo se movían ya los blogs hace algún tiempo y de cómo en este caso Pastas Gallo actuó y se benefició de una acción Social Media.

TURISMO MADRID

Este *blog* nace con una estrategia integral de participación en redes sociales y con el objetivo de intervenir de manera activa en las diferentes "conversaciones" y en la promoción de la actividad turística a través de los canales 2.0: Blog about Madrid, (¿Qué pasa en Madrid?). Con presencia además en Twitter, Facebook, Flickr y Del.icio.us.

Figura 6.12. Blog con toda la información sobre qué pasa en Madrid. Con acceso a los demás canales sociales.

CMT COMISIÓN DEL MERCADO DE LAS TELECOMUNICACIONES

La Comisión del Mercado de las Telecomunicaciones ha llevado diversas acciones de interacción con su público. *Microblogging* para conversar realmente con sus usuarios. La creación de un *blog* corporativo con el fin de transmitir sus informes, estudios o resoluciones del consejo y el relanzamiento de Wikitel, un wiki especializado del sector, creado por los propios internautas son algunas de las actuaciones en Social Media que ha protagonizado.

Figura 6.13. La CMT ha creado un blog corporativo con el fin de transmitir sus informes, estudios o resoluciones del consejo.

OTRAS BREVES HISTORIAS DE ÉXITO

▶ Bere Casillas, un sastre granadino que ha utilizado hábilmente Tuenti y también Youtube, donde uno de sus vídeos tiene ya más de 700.000 visitas y ha conseguido que le entrevisten en el programa de Buenafuente.

▶ El Banco de Sabadell, es la entidad financiera española que, con la ayuda de Twitter, Facebook y diversas iniciativas de *crowdsourcing* interno, mejor está transformando su imagen.

▶ Tomates Soloraf, está demostrando que se puede vender cualquier cosa desde uno de los sitios más remotos del país si se sabe hacer marketing en Internet.

▶ Marta Bonet, dueña de un agroturismo de Mallorca, puso a una burra a tuitear y ya ha conseguido casi 5.000 seguidores y una mención en el Telegraph británico.

► Vueling se está convirtiendo en la aerolínea de referencia con la ayuda de Twitter y Facebook. Una de sus iniciativas más vistosas fue el concurso organizado en Internet para que los usuarios pudieran elegir el nombre de cinco de los aviones.

► Simyo, el operador de telecomunicaciones que mejor está aprovechando Twitter o Facebook para darse a conocer, aprovechando al mismo tiempo el bajo coste de estos medios.

7. Disponer de un contenido adecuado y legal

LA PROPIEDAD INTELECTUAL

Casi todos los contenidos publicados en Internet se destinan a fines informativos para negocios "absolutamente legítimos" o para usos privados. Sin embargo, como cualquier otra tecnología de comunicación, la Red transmite una cierta cantidad de contenidos potencialmente nocivos, o de la que se puede hacer mal uso como vehículo de actividades delictivas.

Aunque se trata de un fenómeno estadísticamente limitado, se ve afectada una amplia serie de ámbitos diferenciados.

Dichos ámbitos están cubiertos por distintos regímenes e instrumentos jurídicos a escala nacional e internacional, como los siguientes:

- ► Seguridad nacional (instituciones sobre preparación de bombas, producción de drogas ilegales y actividades terroristas).

- ► Protección de los menores (formas abusivas de comercialización, violencia, pornografía).

- ► Protección de la dignidad humana (incitación al odio o bien a la discriminación racial).

- ► Seguridad económica (fraude, instrucciones para el pirateo de tarjetas de crédito).

▶ Seguridad de la información (intrusismo informático delictivo).

▶ Protección de la intimidad (transmisión no autorizada de datos personales, acoso electrónico).

▶ Protección de la reputación (difamación, publicidad comparativa ilegítima).

▶ Propiedad intelectual (distribución no autorizada de obras registradas como propiedad intelectual, como programas informáticos o música).

Contenidos nocivos

Distintos tipos de materiales pueden constituir una ofensa a los valores o sentimientos de otras personas: contenidos que expresan opiniones políticas, creencias religiosas u opiniones sobre cuestiones raciales, etc.

Como es lógico, lo que se considera nocivo depende de diferencias culturales, razón por la cual es imprescindible que las iniciativas internacionales tengan en cuenta las distintas normas éticas de los diversos países, con el fin de sondear las normas adecuadas para la protección de la población frente a los materiales ofensivos, garantizando al mismo tiempo la libertad de expresión.

Otros contenidos, como es el caso de la pornografía infantil, el tráfico de seres humanos, la difusión de contenidos racistas o la incitación al odio racial, el terrorismo o cualquier tipo de fraude (falsificación de tarjetas de crédito, por ejemplo), son considerados delictivos e ilícitos. Véase la figura 7.1.

La realidad

Hay que ser realista. Internet es un medio bastante inseguro para todo tipo de contenidos. Esto no significa otra cosa que lo siguiente: todo lo que se distribuye por la Red puede ser copiado y redistribuido fuera del control del autor.

Por otro lado, la situación cambia si se ve esta cuestión desde la perspectiva del usuario: todo lo que se ve y se escucha en Internet está a su disposición. Lo que no significa que los contenidos de las páginas sean de libre distribución o que no tengan propietario.

Los derechos sobre cualquier contenido (textos, imágenes, música, fuentes, sonidos, códigos de programación, etc.) pertenecen a su autor aunque se distribuyan a través de la Red o no incluyan información sobre el copyright en el documento, imagen, etc.

Como es lógico, existen salvedades con respecto a lo anteriormente dicho. Por ejemplo, hay sitios que se dedican a proporcionar contenidos a sus visitantes, ya sean documentos de texto, colecciones de *clip-art*, etc., para que los usuarios las descarguen y usen con total libertad, aunque no es lo más habitual. En muchas ocasiones se trata de sitios que no han hecho más que recopilar dichos contenidos y apropiárselos.

También hay quienes ofrecen a sus visitantes contenidos para uso exclusivamente personal o para su empleo en bocetos, etc., siendo la utilización de dichos contenidos, fuera de los supuestos previstos por el propietario de los derechos de autor, una violación de sus derechos.

Sin lugar a dudas, la mejor forma de crear una página Web no es, ni mucho menos, recorrer la Red en busca de imágenes, sonidos o textos. Siempre existe la alternativa de crearlos o de usar contenidos prestados (si el presupuesto no alcanza para comprar los derechos), y utilizar las habilidades creativas que uno tenga para alcanzar buenos resultados.

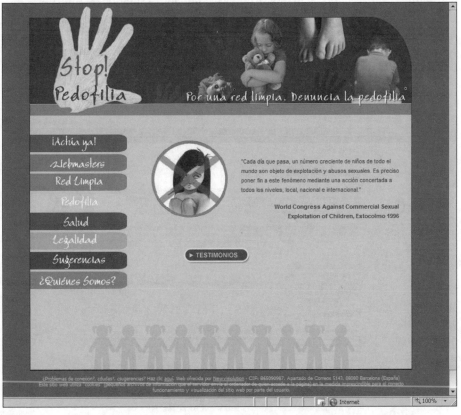

Figura 7.1. Aquellos contenidos que incluyen pornografía infantil, tráfico de seres humanos, información racista o terrorista, entre otros, son considerados delictivos e ilícitos.

EL FENÓMENO DE LA DOCUMENTACIÓN LIBRE

Para que se origine el fenómeno de la documentación libre es necesario que previamente haya existido la documentación no libre o con derechos, es decir, lo que se conoce con el anglicismo *Copyright* (en castellano, Derechos de autor). El derecho de autor es una forma de protección proporcionada por las leyes vigentes en la mayoría de los países para los autores de "obras originales", incluyendo obras literarias, dramáticas, musicales, artísticas e intelectuales. Esta protección está disponible tanto para obras publicadas como para obras que todavía no se hayan publicado.

La Organización Mundial de la Propiedad Intelectual (*OMPI*), que pertenece al Sistema de las Naciones Unidas, es el organismo que promueve la protección de la propiedad intelectual. Esta institución ha necesitado seis años para conseguir la ratificación de lo que se conoce como los "Tratados de Internet":

▶ Tratado de la OMPI sobre Derechos de Autor (*WCT* de 2002).

▶ Tratado de la OMPI sobre Interpretación o Ejecución y Fonogramas (*WPPT* de 2006).

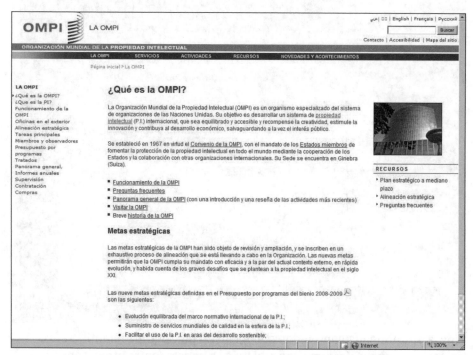

Figura 7.2. La Organización Mundial de la Propiedad Intelectual es el organismo que promueve la protección de la propiedad intelectual.

En España los derechos de autor se regulan en la Ley de la Propiedad Intelectual (LPI). Esta ley distingue dos tipos de derechos:

▶ Los llamados derechos morales, que garantizan al autor el control de la divulgación, modificación o retirada de su obra, así como el respeto a la integridad de la misma y el reconocimiento de su autoría.

▶ Los derechos patrimoniales, que otorgan el derecho de explotación económica de la obra.

Estos últimos pueden transferirse a un tercero y son temporales (70 años tras la muerte del autor). Las condiciones en las que se ceden estos derechos de autor se especifican en unos contratos llamados Licencias.

Ante tantos tratados para defender la propiedad intelectual ha surgido la documentación libre, es decir, la documentación que garantiza la libre copia y modificación de sus contenidos, con la única restricción de no modificar su licencia, pues su licencia es libre, no gratuita. Se puede decir que es un trabajo en colaboración, cuyo origen es el desarrollo de software, que se ha trasladado a la creación y edición de contenidos digitales.

Adaptación a los Social Media de la nueva propiedad intelectual

En nuestro país la Ley de Propiedad Intelectual concede a los creadores de obras originales y creativas, derechos exclusivos sobre ellas. Según estas leyes, los titulares de derechos de propiedad intelectual tienen capacidad para autorizar una reproducción o poner a disposición una obra de su colección. Sí es importante tener en cuenta alguna de las restricciones como son el límite de copia privada, de cita, de trabajos sobre temas de la actualidad, de obras situadas en vías públicas o de parodia. Con esto y según la legislación vigente, cualquier reproducción, puesta a disposición o transmisión, deberá ser realizada con la autorización de los titulares de derechos.

Hoy día diversas redes como Tuenti o Facebook permiten a sus usuarios compartir opiniones, información, etc. pero también ofrecen un medio en el que poner a disposición de terceros cualquier obra pudiendo en muchos casos caer en la vulneración de los derechos reconocidos a su titular.

La legalidad plantea innumerables controversias en los Social Media, que aunque tengan como principal objetivo el de nexo de unión de sus usuarios, están dando mucha importancia a la puesta a disposición de obras de todo tipos sin que habitualmente el titular sea consciente de este hecho.

Youtube por ejemplo utiliza una tecnología *fingerprinting* para poder tener una gestión precisa de los derechos de contenidos de terceros.

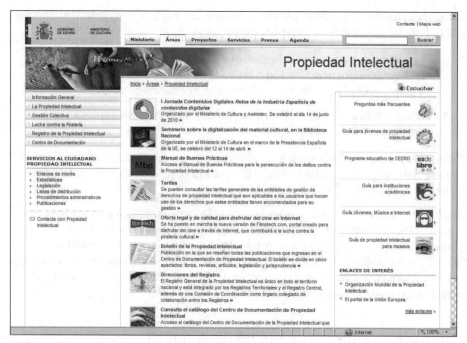

Figura 7.3. En España queda recogida la Ley de Propiedad Intelectual para los autores de obras originales.

Sin lugar a duda los responsables de las redes sociales deben ser conscientes de que su modelo de negocio se basa en gran parte en los contenidos subidos por sus usuarios y creados por ellos o por terceras personas, no pudiendo ignorar la aportación de estos creadores en el éxito de su servicio Web.

Según comenta Andy Ramos Gil de la Haza en un artículo en la revista Telos "Es de alabar iniciativas como la promovida por varias empresas cuyo modelo de negocio se basa en el denominado *User Generated Content (UGC)*, o "contenido generado por el usuario", aunque hubiese sido más idóneo utilizar la palabra "aportado", por cuanto en muchos casos el usuario no genera el contenido, sino que simplemente lo facilita, entre los que se encuentra Dailymotion, Veoh o MySpace, así como por varios titulares de derechos, incluyendo a Viacom, Disney o NBC Universal, en la que, a través de un Código de Conductas, han publicado unos principios que consideran de obligado cumplimiento tanto para unos como para otros. A través de estos principios, las partes se comprometen a fomentar la innovación en un escenario de respeto a los legítimos derechos de terceros. A falta de leyes que se adapten perfectamente a la realidad digital, los Códigos de Conductas se antojan una vía adecuada para resolver los problemas de dos mundos –titulares de derechos y responsables de redes sociales– que están obligados a entenderse."

LEGALIDAD EN LOS SOCIAL MEDIA

Actualmente y cada día más a marcha forzada, las empresas empiezan a ser conscientes de la importancia de la legalidad en Internet y en medios sociales.

Es muy importante conocer las implicaciones que cada una de nuestras acciones va a tener en las redes sociales. Conocer las limitaciones legales, los derechos a la protección de datos, la intimidad y la privacidad hará posible afrontar con éxito una acción social.

Libertad de información en la Web 2.0

Recientemente el equipo del Observatorio de la Seguridad de la Información del Instituto Nacional de Tecnologías de la Comunicación (INTECO) (www.inteco.es/Seguridad/Observatorio) ha creado una guía que abarca todos los aspectos de privacidad y seguridad en la Web 2.0 y sus plataformas participativas.

Figura 7.4. En la página Web del Observatorio de la Seguridad de la Información del Instituto Nacional de Tecnologías de la Comunicación hay un interesante estudio sobre la privacidad y seguridad en la Web 2.0.

Esta Web 2.0 permite a los ciudadanos crear una fuente de información imparcial y diversa, aunque el anonimato que proporciona es utilizado en muchas ocasiones de manera inapropiada, sobrepasando los límites de los derechos individuales en detrimento de los derechos de otros.

La Constitución Española en su artículo 20 recoge el principal derecho que permite expresarse tanto en el ámbito de Internet como fuera de él es la libertad de expresión.

Unido a este derecho figura un segundo que es la libertad de información, diferenciándose del anterior en dos puntos:

► Que la información expresada sea veraz, es decir exige la existencia de un fundamento en hechos reales y objetivos.

► Que la información tenga relevancia pública.

Estos puntos son la clave de la diferenciación de la participación en la Web 2.0 con la prensa tradicional.

Privacidad, intimidad y protección

Otro de los derechos recogidos en la Constitución Española y que se puede ver afectado en la Web es el derecho al honor, a la propia imagen y a la intimidad personal. Con ciertas opiniones o comentarios se puede incurrir en calumnias o injurias, que deben evitarse, como son:

► Captar, reproducir o publicar fotos de personas en momentos de su vida privada.

► Exponer hechos de la vida privada de una persona que puedan afectar a su reputación.

► Imputar hechos o juicios de valor con acciones que afecten la dignidad de alguien.

► Utilizar el nombre, voz o imagen de una persona con un fin comercial.

El derecho a la protección de datos es otro derecho fundamental presente en la Constitución. Por ello cada persona que crea su *blog*, su página Web, o que decide participar activamente en cualquier plataforma asume una responsabilidad jurídica. Según la guía de recomendaciones en Internet de la Agencia Española de Protección de Datos (www.agpd.es) respetar el derecho a la protección de datos de otras personas implica:

► No publicar informaciones que no respondan a los requisitos de veracidad, interés público y respeto a la dignidad de las personas, y en particular a la juventud y la infancia.

► No difundir rumores o informaciones no contrastadas.

► Rectificar o retirar la información cuando lo solicite el afectado.

► Nunca publicar información que ponga en riesgo a la familia y en particular a los menores, amistades, vecinos, etc.

► Tener especial cuidado respecto a la publicación de información relativa a los lugares en que el usuario o un tercero se encuentra en todo momento, ya que podría suponer un grave riesgo para su integridad.

► No grabar ni publicar imágenes, videos o cualquier otro tipo de registro sin el consentimiento de los afectados.

► En el caso de los menores de 14 años, la LOPD obliga a los padres o tutores a prestar su consentimiento para el tratamiento de sus datos.

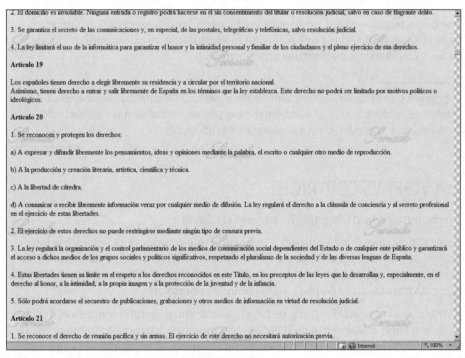

Figura 7.5. El artículo 20 de la Constitución Española recoge el derecho de libertad de expresión.

Según el Real Decreto Legislativo 1/1996 de 12 abril por el que se aprueba la Ley de Propiedad Intelectual, ésta es el derecho que tienen las personas sobre las creaciones propias u obras. Por ello y dentro del marco de actuación de Internet el usuario podrá utilizar en las diversas plataformas:

▶ Obras con autorización de sus titulares de derechos, ya sea de forma directa o a través de cualquiera de las licencias existentes en la actualidad (Creative Commons, GPL, etc.).

▶ Cualquier obra que hayan creado (siempre que no hayan cedido los derechos de explotación a otros).

▶ Obras de dominio público, es decir cuyo autor haya fallecido hace más de 70 años o que hayan transcurrido 50 años desde la publicación, en grabaciones sonoras y audiovisuales.

▶ Obras expuestas permanentemente en la vía pública.

▶ Discursos o conferencias pronunciadas en público, siempre y cuando tenga una finalidad informativa y no meramente comercial.

▶ Trabajos sobre temas de actualidad, en la medida descrita anteriormente.

Por tanto, según esta ley, no se podrá utilizar en las plataformas 2.0: Obras y prestaciones protegidas por propiedad intelectual, salvo que cumplan alguna de las excepciones mencionadas anteriormente.

Siempre que se quiera utilizar alguna obra (textos, fotografías, vídeos, etc.) de Internet se debe acudir al aviso legal de la página donde se haya encontrado el contenido y observar si éste permite su reproducción.

COPYLEFT VS COPYRIGHT

En contrapartida al *Copyright* ha surgido el *Copyleft*.

Copyleft describe un movimiento y un ideario que promueve la flexibilización del *Copyright* y los derechos de autor. El término *Copyleft* se asocia a un conjunto de licencias que, aplicadas a creaciones como el software y obras artísticas, permite que esas obras sean copiadas y redistribuidas libremente.

Este término nace en el mundo de la programación, concretamente en el del software libre, ámbito en el cual el *Copyleft* constituye un método para hacer que un programa de software libre se mantenga siempre libre, obligando a que todas las modificaciones y versiones extendidas del programa sean también software libre, garantizando así las libertades de los usuarios. De forma análoga este concepto se aplica también a todo tipo de conocimiento o contenido libre (textos, fotos, videos, etc.).

Por su parte el *Copyright* es un derecho automático y el depósito no otorga el derecho pero es la prueba de un derecho existente debido a la creación siempre que la creación sea original.

La mención *Copyright*, aunque puramente indicativa, se formaliza con el símbolo *Copyright* ©, seguido del año de publicación, y del nombre del autor (o de la sociedad que ha depositado el *Copyright*). En su sitio Web (`www.copyright.es`) se haya descrito todo el proceso.

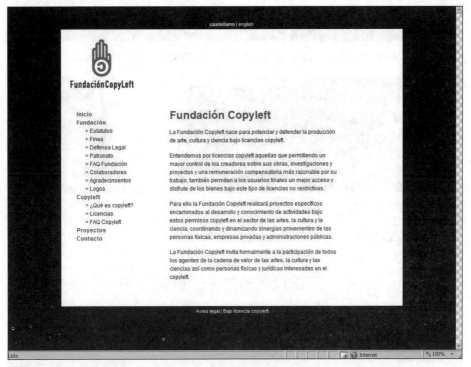

Figura 7.6. Sitio Web de la Fundación Copyleft. Toda la información sobre las licencias y usos de las mismas aparecen aquí explicadas.

La "C inversa" ("*reversed c*") es el símbolo del *Copyleft*. Se utiliza como la contrapartida del símbolo del copyright (derecho de autor), sin embargo no posee reconocimiento legal. La idea de *copyleft*, no el vocablo, fue concebida por Richard Stallman.

Licencias de documentación libre

El origen de las licencias de documentación o textos libres es la GNU, *Free Documentation License* (`www.gnu.org`). Esta licencia de documentación libre es una forma de *Copyleft* para ser usada en un manual, libro de texto u otro documento que asegure que todo el mundo tiene la libertad de copiarlo y redistribuirlo, con o sin modificaciones, de modo comercial o no comercial. El texto de la Licencia Libre de Documentación de GNU está en tres formatos: HTML, texto plano Texinfo y LaTeX. Estos documentos no están maquetados para publicarlos por sí solos, sino que están pensados para incluirse en otro documento.

Figura 7.7. El Copyright permite registrar sus datos, fecharlos para administrarles fecha auténtica y demostrar su anterioridad de derecho de autor.

Esta licencia se suele utilizar para manuales de software libre, pero existen otras licencias que permiten publicar cualquier tipo de documentación:

▶ Open Publication License (http://opencontent.org/): En 1998 esta licencia se creó para abrir el acceso a recursos educativos. En la actualidad existen numerosas instituciones que intentan ofrecer una oportunidad educativa libre. Para los hispanohablantes es Universia (www.universia.net) quien ofrece la oportunidad de acceder a los contenidos educativos libres del *Massachussets Institute of Technology* (http://mit.ocw.universia.net/).

▶ Creative Commons (`http://creativecommons.org/`): Organización que fue fundada y actualmente es presidida por Lawrence Lessig, profesor de derecho en la Universidad de Stanford y especialista en ciberderechos. Esta organización desarrolla planes para ayudar a reducir las barreras legales de la creatividad por medio de nueva legislación y de las nuevas tecnologías. La idea principal es posibilitar un modelo legal y ayudado de herramientas informáticas para así facilitar la distribución y el uso de contenidos para el dominio público. Ofrece una serie de licencias, cada una con diferentes configuraciones o principios.

El símbolo del *Copyright* © se usa para indicar que una obra está sujeta al derecho de autor.

CREATIVE COMMONS

Se trata de una organización no gubernamental, sin ánimo de lucro, que fue fundada y es presidida por Lawrence Lessig, profesor de derecho en la Universidad de Stanford y especialista en ciberderechos. Creative Commons está inspirada en la licencia GPL (*General Public License*) de la Free Software Foundation, sin embargo, su filosofía va más allá de ser un licenciamiento de software libre. El usuario es libre de copiar, distribuir o modificar una obra, incluso, en algunos casos, se autoriza a hacer uso comercial de ella, pero es obligatorio que se haga referencia a su autor.

Con esta iniciativa se quiere conseguir reducir las barreras legales de la creatividad y, a su vez, posibilitar un modelo legal, ayudado de herramientas técnicas y tecnológicas, para así facilitar la distribución y el uso de contenidos para el dominio público.

Entre sus metas principales está la creación de un espacio que promueva, facilite y garantice el intercambio colectivo, como forma de promover una cultura de la libertad, basada en la confianza en intercambios creativos comunitarios. Esta organización procura ayudar a los interesados a intercambiar obras y trabajos de una manera sencilla, dinámica y segura.

La institución afiliada a Creative Commons España es la Universidad de Barcelona (`http://es.creativecommons.org/`), y este proyecto es posible gracias a la colaboración de muchas personas anónimas que dan su apoyo. Véase la figura 7.8.

CC España se inició en febrero del año 2003 cuando la Universidad de Barcelona decidió buscar un sistema para publicar material docente siguiendo el ejemplo del Massachusets Institute of Technology. Se determinó optar por el sistema de licencias de Creative Commons, estableciéndose un acuerdo de trabajo por el cual la UB lideraría el proyecto de adaptación de las licencias al Estado Español en castellano y catalán.

Figura 7.8. La institución afiliada a Creative Commons España es la Universidad de Barcelona (UB).

Para recoger las licencias previamente hay una serie de condiciones que se clasifican en:

- Reconocimiento (*Attribution*): En cualquier explotación de la obra autorizada por la licencia hará falta reconocer la autoría.

- No Comercial *(Non comercial)*: La explotación de la obra queda limitada a usos no comerciales.

- Sin obras derivadas *(No Derivate Works)*: La autorización para explotar la obra no incluye la transformación para crear una obra derivada.

- Compartir Igual *(Share alike)*: La explotación autorizada incluye la creación de obras derivadas siempre que mantengan la misma licencia al ser divulgadas.

Figura 7.9. La idea principal de Creative Commons es posibilitar un modelo legal y ayudado de herramientas informáticas para así facilitar la distribución y el uso de contenidos para el dominio público.

Partiendo de estas condiciones actualmente existen 6 tipos de licencia Creative Commons:

▶ Reconocimiento (*by*): Se permite cualquier explotación de la obra, incluyendo una finalidad comercial, y la creación de obras derivadas, la distribución de las cuales también está permitida sin ninguna restricción.

▶ Reconocimiento - NoComercial (*by-nc*): Se permite la generación de obras derivadas siempre que no se haga un uso comercial. Tampoco se puede utilizar la obra original con finalidades comerciales.

▶ Reconocimiento - NoComercial - CompartirIgual (*by-nc-sa*): No se permite un uso comercial de la obra original ni de las posibles obras derivadas, la distribución de las cuales se debe hacer con una licencia igual a la que regula la obra original.

▶ Reconocimiento - NoComercial - SinObraDerivada (*by-nc-nd*): No se permite un uso comercial de la obra original ni la generación de obras derivadas.

► Reconocimiento - CompartirIgual *(by-sa)*: Se permite el uso comercial de la obra y de las posibles obras derivadas, la distribución de las cuales se debe hacer con una licencia igual a la que regula la obra original.

► Reconocimiento - SinObraDerivada *(by-nd)*: Se permite el uso comercial de la obra pero no la generación de obras derivadas.

BUENAS MANERAS DEL COMMUNITY MANAGER

Un Community Manager o Social Media Manager es la persona encargada de gestionar, construir y moderar comunidades en torno a una marca en Internet. Un verdadero conocedor de estrategias.

Es una labor que el profesional ha de llevar a cabo de la manera más responsable, coherente y respetuosa para con los usuarios y empresas con las que se vaya a establecer una colaboración o participación.

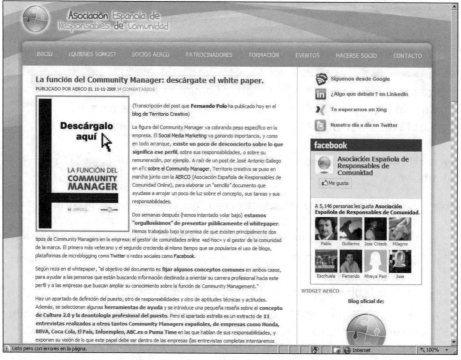

Figura 7.10. La Asociación Española de Responsables de Comunidad (AERCO) colabora de manera activa en la consecución de buenas maneras de estos profesionales.

Hay ciertas normas éticas que todo Community Manager debería conocer y poner en práctica:

- ▶ **Respeto.**
- ▶ **Legitimidad.**
- ▶ **Honradez.**
- ▶ **Lealtad.**
- ▶ **Colaboración.**
- ▶ **Sentido común.**
- ▶ **Diversidad.**
- ▶ **Profesionalidad.**

Índice alfabético